D0755979

Héritière incognito

AMY J. FETZER

Héritière incognito

Collection *Passion*

*éditions*Harlequin

Si vous achetez ce livre privé de tout ou partie de sa couverture, nous vous signalons qu'il est en vente irrégulière. Il est considéré comme « invendu » et l'éditeur comme l'auteur n'ont reçu aucun paiement pour ce livre « détérioré ».

Cet ouvrage a été publié en langue anglaise
sous le titre :
AWAKENING BEAUTY

Traduction française de
AGNÈS JAUBERT

HARLEQUIN®

est une marque déposée du Groupe Harlequin
et Passion® est une marque déposée d'Harlequin S.A.

Originally published by SILHOUETTE BOOKS,
division of Harlequin Enterprises Ltd.
Toronto, Canada

Photo de couverture
© PHOTODISC / GETTY IMAGES

Toute représentation ou reproduction, par quelque procédé que ce soit, constituerait
une contrefaçon sanctionnée par les articles 425 et suivants du Code pénal.
© 2003, Amy J. Fetzer. © 2005, Traduction française : Harlequin S.A.
83-85, boulevard Vincent-Auriol, 75013 PARIS — Tél. : 01 42 16 63 63
Service Lectrices — Tél. : 01 45 82 47 47
ISBN 2-280-08411-2 — ISSN 0993-443X

1.

Un long crissement de pneus résonna derrière Lane, suivi d'un bruit de gerbe d'eau et d'un choc sourd. Elle s'immobilisa, son carton plein de livres dans les bras. Inutile qu'elle se retourne, elle avait compris : sa voiture venait d'être emboutie.

C'était sa chance habituelle ! soupira-t-elle en posant précipitamment le carton, avant de faire volte-face pour redescendre les marches de la véranda de sa librairie.

Son regard se posa tout d'abord sur l'arrière de sa voiture dont le coffre s'était ouvert sous le choc, puis sur l'homme toujours au volant du coupé sport gris argent qui venait de télescoper son véhicule.

Celui-ci jura d'une voix forte. C'était bon signe ! Au moins, il n'avait pas perdu connaissance.

L'homme, un beau brun aux yeux bleus, descendit de voiture, les yeux fixés sur le sinistre, avant de croiser son regard.

— Vous allez bien ? demanda-t-il en attrapant son téléphone portable.

Lane le regarda, interloquée. Une pluie d'hiver glaciale lui traversait les vêtements, dégoulinait dans ses cheveux, et elle sentait déjà le petit chignon serré sur le sommet de son crâne s'affaisser. A part ça…

— Très bien. Mais je n'étais pas dans la voiture, je vous signale ! hurla-t-elle dans la pluie.

— C'est vrai. Bon sang ! jura-t-il de nouveau en donnant un coup de pied dans un pneu, ce qui lui arracha une grimace de douleur.

— C'est intelligent, constata-t-elle.

Il lui sourit et, une fraction de seconde, éloigna le téléphone de son oreille.

— Tyler McKay.

Elle savait qui il était.

Difficile de vivre à Bradford, Caroline du Sud, et d'ignorer la famille McKay. Tyler McKay était l'homme le plus connu de la ville et l'un des plus fortunés.

Détournant le regard de sa silhouette longue et mince vêtue d'un blouson d'aviateur en cuir et d'un jean, elle reporta son attention sur les véhicules.

Celui de McKay était carrément en accordéon, quant au sien… C'est alors qu'elle remarqua que la pluie battante ruisselait sur les cartons de livres dont son coffre était rempli.

— Oh non ! Mon stock !

Le responsable du désastre, en pleine conversation téléphonique, y jeta à peine un coup d'œil. Cependant, après avoir éteint son portable, il observa :

— Ils sont fichus.

Elle le foudroya du regard.

— Oui, merci de me le faire remarquer ! C'est tout ce que vous trouvez à dire ?

Elle essayait de refermer le coffre, qui refusait d'obéir.

— Que pensez-vous de ça ? demanda-t-il en retirant sa veste pour la poser sur les livres.

— C'est comme un sparadrap sur une blessure ouverte à la tête, riposta-t-elle.

— A quoi bon se montrer galant. Ce n'est jamais apprécié !

Lui rendant le blouson, elle souleva un carton rempli de livres trempés. Il attrapa le second et lui emboîta le pas.

— La police sera là d'une minute à l'autre, annonça-t-il.

— Très bien, dit-elle en poussant la porte de la librairie.

Il avait sans doute usé de ses relations pour obtenir un service aussi rapide ! Lorsque votre famille possédait la moitié de la ville ou presque, ça ne devait pas être trop difficile. Néanmoins, c'était dans ces moments-là qu'elle se félicitait d'avoir changé son vrai nom pour Lane Douglas.

Elaina Honora Giovanni n'avait pas intérêt à avoir affaire à la police : cela signifiait décliner son identité et être inscrite dans un registre de commissariat, terrain de chasse favori des journalistes comme tout le monde le savait.

Or, elle connaissait un journaliste qui n'attendait que de lire son nom quelque part pour se précipiter sur elle comme un prédateur sur sa proie. Un accident de voiture, aussi banal soit-il, suffirait à le conduire droit à elle.

— Ecoutez, c'est de ma faute, reprit Tyler McKay derrière elle.

Elle se retourna pour le regarder.

Grave erreur ! Il était juste sur ses talons, bien trop près d'elle…

Seigneur, que cet homme était beau ! Il la fixait intensément de son regard d'un bleu éclatant, comme si la chance de la regarder allait lui être retirée d'une seconde à l'autre. Ses petite rides d'expression, au coin des yeux, trahissaient un tempérament joyeux, et il semblait indifférent à l'eau de pluie qui dégoulinait dans son cou et sur le cuir de son blouson. Lorsque le parfum chaud et boisé de son after-shave vint lui chatouiller les narines, elle réprima une envie d'inspirer profondément.

— C'est la pluie, le virage de Bay Street et la route glissante qui sont à blâmer, se contenta-t-elle de marmonner.

Il sourit.

— Est-ce que cela veut dire que je suis pardonné ?

Ce sourire éveilla quelque chose en elle, et son pouls se mit à battre plus vite. Sa peau glacée s'était soudain comme réchauffée. Impossible d'ignorer l'effet qu'il produisait sur elle.

Ce dont, d'ailleurs, il devait être tout à fait conscient…

— Vous avez besoin que je vous pardonne ? s'enquit-elle.

— Besoin, non, mais j'aimerais bien. En bons voisins.

Il se remit à sourire, et elle se hâta de rentrer déposer le carton sur le comptoir.

— Bon, d'accord, je vous pardonne, lâcha-t-elle en se détournant. Mais je me réserve le droit de vous attaquer. Encore que… Etant donné que je n'avais pas mis de monnaie dans le parcmètre, avec ma chance, c'est moi qui vais prendre une contravention.

Elle lissa ses cheveux en arrière. Ses lunettes embuées se mirent à glisser le long de son nez.

— Je vous promets que non, dit-il d'une voix douce.

— Vous seriez prêt à vous battre pour moi ? demanda-t-elle, un sourcil arqué. Alors là, c'est de la galanterie, je l'admets !

Il sourit de nouveau, et Lane se sentit littéralement fondre de l'intérieur. Aïe ! Voilà qui ne présageait rien de bon.

— Comment vous appelez-vous ? s'enquit-il.

— Lane Douglas.

Au bout de deux ans, elle répondait maintenant sans aucune hésitation. Dommage que mentir sur son identité soit devenu une seconde nature…

Il lui tendit la main, et elle la secoua brièvement avant de se dégager.

Sa peau était délicieusement chaude et, contrairement à sa première impression, elle n'était ni douce ni soignée. Elle avait senti au moins un cal.

Il avait dû se le faire au golf !

Lui tournant le dos, elle entreprit d'inspecter ses livres détrempés. Combien cela allait-il lui coûter de les remplacer ?

— C'est joli ici, constata-t-il. C'est neuf ?

— La maison a cent cinquante ans, monsieur McKay, répondit-elle, feignant d'ignorer qu'il voulait parler de rénovation.

— Appelez-moi Tyler, je vous en prie. M. McKay, c'était mon père.

— Je ne tiens pas à me montrer trop familière, répliqua-t-elle en fourrageant dans son sac. N'oubliez pas qu'il est possible que je vous fasse un procès.

Le regard de son interlocuteur se plissa.

— Je vous dédommagerai entièrement, mademoiselle Douglas.

Elle le dévisagea et lui tendit son permis de conduire et sa carte d'assurance.

— Parfait. Et si vous alliez saluer la maréchaussée ? suggéra-t-elle en désignant la rue du menton.

A travers la vitre, on voyait les lumières bleues de la voiture de police, ce qui ne l'inquiétait pas outre mesure : Lane Douglas n'avait rien à cacher.

Une fraction de seconde, McKay la regarda, puis avec un bref hochement de tête il prit les papiers et sortit sous la véranda.

Tandis qu'il s'expliquait avec les forces de l'ordre, elle essaya vainement d'éponger le contenu des deux cartons. C'était sans espoir. Elle allait devoir vendre à bas prix ces livres abîmés par l'eau, et subir encore une fois une perte financière.

Rester une Giovanni et vivre dans une cage dorée, ou devenir Lane Douglas et affronter les difficultés quotidiennes d'une femme normale ? Etre l'héritière d'un grand vignoble ou une simple libraire ? Le choix était bien difficile à cette minute précise !

Enfin, le plus important était d'avoir fait sortir Tyler McKay de sa librairie avant d'éveiller sa curiosité : celui-ci était assez riche pour avoir évolué dans les mêmes cercles qu'elle et les siens, il aurait pu la reconnaître. Sans parler du fait qu'elle avait été assez souvent en première page des journaux et tabloïdes du pays !

Et puis les médias s'intéressaient autant aux McKay qu'aux Kennedy ou aux Giovanni, aussi faisait-elle ce qu'il fallait pour les éviter depuis qu'elle était arrivée.

Son identité devait rester secrète.

A l'exception de son père, même sa propre famille ne connaissait pas son adresse, et elle était prête à tout pour que ça ne change pas.

Cependant, se montrer désagréable avec Tyler McKay ne la mènerait à rien. Il connaissait beaucoup de monde, et tous ces gens lisaient… Allons, elle pouvait bien prendre le risque d'être aimable, cela ne voulait pas dire pour autant qu'ils allaient devenir intimes.

Cette jeune femme n'aurait pu être plus glaciale, songea Tyler en jetant un coup d'œil à l'intérieur de la librairie, tandis que le policier remplissait le rapport.

Il l'observa qui s'affairait avec ses livres, nota les lunettes démodées, le chignon sévère, le pull et la jupe qui lui couvrait les genoux, cachés par ce qui ressemblait à des bottes de combat.

Malgré ses airs d'institutrice revêche, cette femme dégageait au second abord quelque chose qui démentait totalement cette impression. Quoi, exactement ? Difficile à dire. Mais il n'avait pu s'empêcher de remarquer ses yeux extraordinaires, ombrés de cils interminables, d'une magnifique couleur ambre que les lunettes n'arrivaient pas à dissimuler.

Son attitude réservée restait très professionnelle. N'était-ce pas un peu forcé, néanmoins ? Lui qui connaissait tout le monde à Bradford, c'était la première fois qu'il la voyait. Etrange !

— Il faut que je m'entretienne avec mademoiselle Douglas, annonça le policier, interrompant le fil de ses pensées.

Avec un signe d'assentiment, Tyler le précéda dans la librairie.

Une pluie froide tombait d'un ciel morne et grisâtre, mais à l'intérieur il faisait chaud et une odeur de café flottait dans l'air. Tiens, la propriétaire des lieux avait disparu.

Lorsqu'il appela, elle surgit de l'arrière-boutique, portant un plateau sur lequel se trouvaient trois tasses de café fumantes.

— Pour vous réchauffer, expliqua-t-elle.

Le policier but rapidement la sienne, lui posa quelques questions, puis sortit après leur avoir tendu à chacun une copie du rapport.

Tyler enfouit son exemplaire dans son blouson et avala paresseusement une gorgée.

— Comment se fait-il que nous ne nous soyons pas déjà rencontrés ? demanda-t-il.

Elle le fixa à travers ses lunettes rondes. Seigneur ! Elle avait des yeux vraiment magnifiques.

— Eh bien, je vends des livres. Lisez-vous ?

— Naturellement.

— Manifestement pas assez, monsieur McKay, riposta-t-elle, l'air narquois.

— Vous êtes toujours en colère pour la voiture ? s'enquit-il, affable.

— Non, pas vraiment, répondit-elle. Qui sait, mon assurance va peut-être la remplacer par une neuve ?

Décidément, ce petit sourire espiègle qu'elle n'essayait même pas de dissimuler lui plaisait.

— Il faudrait qu'elle soit complètement fichue pour ça.

— Cela ne devrait pas poser de problème. Je pourrais la laisser où elle est, et pour peu que vous repassiez par là en voiture…

Son rire roula doucement dans sa gorge, en écho au tonnerre qui grondait dehors.

Le tintement de la clochette au-dessus de la porte les interrompit : un jeune garçon d'une douzaine d'années entrait.

— Mortel, ce déluge ! s'exclama-t-il en s'ébrouant. Oh, bonjour, monsieur McKay.

— Bonjour, Davis.

Le gamin jeta un coup d'œil dehors et, sourcils froncés, inclina légèrement la tête de côté pour demander :

— C'est à vous, là dehors ?

— Hélas, oui.

— Flûte ! Quelle insulte pour une voiture comme ça.

— C'est réparable.

— En quoi puis-je t'aider ? demanda la propriétaire des lieux, son regard allant de l'un à l'autre.

Le gamin brandit un paquet d'affiches annonçant le festival d'hiver :

— Est-ce que je peux en mettre une dans votre vitrine ?

— Bien sûr.

La jeune femme posa sa tasse et attrapa un rouleau de papier collant, ainsi qu'une petite serviette qu'elle tendit au jeune visiteur afin qu'il puisse s'essuyer le visage. Tandis qu'il accrochait son poster dans la vitrine, elle continua à bavarder gentiment avec lui.

Elle s'était métamorphosée, constata Tyler, surpris par le regard chaleureux dont elle enveloppait le gamin. Lui réservait-elle sa froideur ? Peu de femmes pourtant résistaient au charme McKay, songea-t-il, perplexe. C'était du moins ce que disait sa mère. Et il était en train d'user et d'abuser du sien.

— A bientôt, monsieur McKay.

— A bientôt, Davis.

— Attention à la circulation, recommanda Lane Douglas comme le jeune garçon sortait. Il y a des fous en liberté, dans cette ville.

— Quoi qu'il arrive, vous n'avez pas la victoire modeste, n'est-ce pas ? dit Tyler une fois qu'ils furent de nouveau seuls.

— Ce n'est pas tous les jours que le play-boy local percute ma pauvre voiture sans défense.

— D'abord, vous m'avez pardonné. Et ensuite, qui a dit que j'étais un play-boy ?

Elle laissa échapper un long soupir affligé avant d'aller se placer derrière son comptoir où, une affiche étalée devant elle, elle commença à lire la liste des événements du festival.

— C'est de notoriété publique, monsieur McKay, répondit-elle sans lever les yeux.

— Un tissu de mensonges, je vous jure.

Elle se décida enfin à le regarder.

— Vous n'avez pas besoin de vous défendre. J'ai ma propre opinion et, bien que je sache qui vous êtes, je me fiche bien de savoir ce que vous faites.

— Curieux ! constata-t-il. Une femme que les potins n'intéressent pas.

Elle lança par-dessus ses lunettes un regard particulièrement glacial.

— Vous n'êtes attendu nulle part ? s'enquit-elle, apparemment impatiente de le voir sortir de son magasin. Au bureau, par exemple ?

Il plongea son regard dans le sien et sentit quelque chose flancher en lui.

Aucun doute ! Cette femme devait être capable de pétrifier un homme sans même se forcer. Pourtant, quelque chose lui disait qu'il serait intéressant d'arriver à faire fondre cette banquise.

— Il pleut, lui rappela-t-il. Vous n'allez pas avoir beaucoup de clients aujourd'hui.

— Vous seriez surpris ! Mes clients sont prêts à affronter les intempéries pour pouvoir se pelotonner sur un canapé avec un bon livre.

Bonne idée ! Il ne demandait pas mieux que de se pelotonner avec elle, là, sans plus attendre.

Pris au dépourvu par cette pensée vagabonde, il cligna des yeux pour reprendre ses esprits. Après tout, cette femme, avec son air de bibliothécaire trempée, ne prêtait pas vraiment à fantasmer. Et pourtant… ses yeux aux reflets d'ambre continuaient à le fasciner, qu'il le veuille ou pas.

— Allez-vous prendre part au festival ? demanda-t-il en désignant l'affiche qu'elle était en train de scotcher au comptoir.

— Non.

Voilà qui était surprenant. Le festival d'hiver était le seul moment de l'année qui voyait tous les commerçants de Bradford se réunir. C'était bon pour la ville, bon pour les affaires. De plus, c'était très amusant : pendant quinze jours, diverses attractions se succédaient quotidiennement, drainant des visiteurs de toute la Caroline du Sud.

— Pourquoi donc ? demanda-t-il.

— Je n'y tiens pas.

— Rabat-joie !

Voilà qu'elle essayait encore une fois de dissimuler un sourire, il en était sûr.

— Tous les commerces de la ville y participent, reprit-il.

Elle leva un sourcil étonné.

— Même la station d'essence et la laverie de voitures ?

— Bien sûr ! Denis, le pompiste, donne des tickets pour un lavage gratuit à chaque conducteur qui fait un plein. Et Mike, à la laverie de voitures, donne un bon pour cinq dollars d'essence chaque fois qu'on lui amène une voiture à laver. Alors, qu'en pensez-vous ? demanda-t-il après avoir avalé une autre gorgée de café.

— Je suis libraire, les livres ne sont pas des articles que l'on vend sur un stand.

— Vous pourriez vendre du café, suggéra-t-il avec un geste en direction de la petite machine à cappuccino.

— Oh, quelle contribution ce serait ! Des cafés crème !

— Par un après-midi froid, bien sûr ! Pourquoi n'essaye-riez-vous pas ?

— Qui êtes-vous, le maire ? demanda-t-elle en hochant la tête avec un sourire.

— Hum ! fit-il en feignant d'y réfléchir. « Monsieur le maire McKay ». Ça sonne plutôt pas mal.

— C'est ça. Et si vous alliez travailler maintenant, gagner encore un peu plus d'argent ?

Elle lui prit sa tasse à moitié vide des mains et la posa sur le comptoir.

— Vous vous montrez toujours aussi charmante avec vos clients ? s'enquit-il en clignant des yeux.

— Je réserve mon charme à ceux qui investissent sérieusement dans la littérature.

Tyler fit une petite grimace. Il adorait son humour.

— Avec cette attitude, dans un mois vous faites faillite.

— Je suis ici depuis un an, monsieur McKay, répondit-elle dédaigneusement. Et j'ai survécu sans problème.

— Mais survivre, est-ce suffisant ? lui demanda-t-il.

D'un regard, elle lui signifia qu'il s'engageait sur un terrain personnel.

— Vous pouvez partir maintenant. Vous avez fait votre devoir civique.

— Hé, c'est moi que vous n'aimez pas, ou les McKay en général ?

Lane se mordit la lèvre, à bout de nerfs.

Seigneur ! Comme son after-shave sentait bon. Divin ! Et dans ce blouson de cuir et cette chemise terre de Sienne, il était vraiment à se pâmer. Elle inspira un grand coup et immédiatement le regretta : son parfum s'était infiltré au plus profond d'elle-même.

Ce Tyler McKay la déstabilisait, il était vraiment dangereux, il était temps qu'il parte !

Curieux… même lorsque le FBI l'avait questionnée au sujet des activités prétendument illégales de son frère Angel, elle était restée de marbre. Quelle que soit l'explication de son trouble, elle préférait ne pas approfondir. Il restait là à lui sourire, debout devant elle. Dire qu'il était convaincu qu'elle n'était qu'une femme qui luttait pour faire tourner son affaire !

Elle brûlait de lui dire qu'elle aussi avait vécu la vie de ceux qui ont à leur disposition des fonds illimités. Que, grâce au scandale des Vins Giovanni, elle avait connu la sensation de savoir qu'on ne parlait que d'elle, non seulement dans sa propre ville, mais sur deux continents, et qu'elle avait fait l'expérience inégalable de voir son visage affiché en première page d'un tabloïde, offert au regard de tout Américain en train de faire la queue à une caisse de supermarché…

Que connaissait-il des potins, lui ? Car il y avait potin et potin ! Quelques curieux locaux commentaient sa vie amoureuse ? D'accord, et alors ? Même si les habitants de la Mongolie savaient ce qu'il avait mangé au petit déjeuner ou ce qu'il portait pour dormir, ce n'était pas méchant. Mais voir sa famille suspectée de liens mafieux, de blanchiment d'argent, la photo de son frère en compagnie d'hommes d'affaires douteux dans les journaux et sa propre carrière de styliste ruinée, ça…

Et tout était parti de sa crédulité ! Dan Jacobs, ce journaliste qui disait l'aimer, n'avait qu'un seul but : se servir d'elle pour infiltrer sa famille et décrocher un scoop.

Pire ! Elle avait été sincèrement amoureuse de lui, et il l'avait trahie. Elle s'était refermée comme une huître, depuis.

Le cœur serré, elle fixa le sol, essayant de se libérer de la douleur qui lui opprimait la poitrine. Les gens comme Dan Jacobs pouvaient vous anéantir. Tant qu'ils obtenaient ce qu'ils voulaient, ils se fichaient bien de la profondeur de votre souffrance…

Au moins, avec les livres, on ne courait pas ce genre de risque. Les livres, c'était l'évasion.

— Mademoiselle Douglas ? Tout va bien ?

Relevant les yeux, elle se força à sourire.

Où donc l'avaient entraînée ses pensées ? se demanda Tyler, les sourcils froncés.

À la tristesse qu'affichait son visage l'instant d'avant venait de se substituer une expression de fausse gaieté, ce qui ne fit qu'accroître l'intérêt que cette femme suscitait en lui. Cela devenait presque incontrôlable.

Ce qu'elle dégageait n'était pas de l'arrogance, mais de la dignité, une élégance que même ses vêtements et ses lunettes de bibliothécaire ne parvenaient pas à dissimuler.

— Au risque de me répéter, tout va bien, répondit-elle sèchement.

Il n'avait pas l'habitude de se faire rebuter par les femmes. Comme c'était énervant ! Arracher un sourire à ce glaçon était une véritable gageure.

Comme il la fixait toujours, elle insista avec impertinence :

— Vous ne pensez pas qu'il serait temps d'appeler une dépanneuse ? Votre bureau ? Votre petite amie ?

Il sourit.

Non, il n'avait pas de petite amie. En tout cas, pas de régulière. Pour le moment, il se complaisait dans le jeu de plaquer élégamment ses conquêtes. Et pour cause ! Deux ans auparavant, n'avait-il pas été à deux doigts d'épouser une femme qui n'en voulait qu'à l'argent des McKay ? De l'eau avait coulé sous les ponts, il s'en était remis, mais son aveuglement restait un souvenir brûlant. Hélas ! Saurait-il jamais si une femme le voulait pour lui-même ou pour sa fortune ?

— Pas de petite amie à appeler, merci. Et j'ai téléphoné à la dépanneuse pendant que j'étais avec le policier.

Inclinant légèrement la tête de côté, il se pencha sur le comptoir, comblant l'espace entre eux :

— Vous semblez bien pressée de vous débarrasser de moi, constata-t-il. Pourquoi ?

— Contrairement aux personnes riches et oisives, j'ai une affaire à faire tourner, monsieur McKay.

Elle avait une voix de velours, profonde, légèrement rauque. Quel était donc cet accent ? Assurément pas un accent du Vieux Sud. Son origine était impossible à déterminer, mais il devinait quelques intonations étrangères, comme si elle avait vécu en Europe.

— Monsieur McKay ?

— Oui ?

— Je crois que votre portable est en train de sonner.

Il battit des paupières et attrapa son téléphone.

— C'est votre fan-club ? reprit Lane Douglas.

Il lui fit un clin d'œil.

— Bonjour, maman. Oui, tout va bien.

Elle étouffa un petit rire.

— Bon sang ! Comment as-tu pu le savoir aussi vite ? Dis à Mme Ashbury que je suis indemne, reprit-il après une courte pause. Oui, oui, je rentre tout de suite.

Il éteignit son téléphone et sourit à la jeune femme.

— Je dois aller lui fournir immédiatement la preuve que je ne suis pas allongé sur un brancard, le crâne ouvert.

— Si vous êtes en mal de réconfort maternel, je me ferai une joie de vous dépanner, proposa-t-elle, les yeux pétillants de malice, en empoignant une statue de résine représentant un gnome lisant un livre, et en faisant mine de lui en asséner un coup sur la tête.

— Non, merci, s'esclaffa-t-il en reculant d'un pas. Envoyez-moi la facture pour vos livres, conclut-il en se dirigeant vers la porte.

— Vous pouvez y compter !

— Mieux, je passerai la prendre demain, suggéra-t-il.

Sa suggestion l'énervait, il le savait pertinemment.

— Le service postal est très efficace aux Etats-Unis, monsieur McKay. Tout le monde ou presque en est satisfait.

Sur le seuil, Tyler se retourna :

— Je ne suis pas tout le monde, mademoiselle Douglas, précisa-t-il avec un dernier sourire.

Sur ces mots, il referma la porte derrière lui et descendit les marches d'un pas allègre avant de héler un taxi, abandonnant là sa voiture accidentée.

2.

Tyler s'appuya contre le comptoir de la cuisine de la maison familiale et mordit dans le sandwich que sa mère, maintenant rassurée sur son état, lui avait préparé.

Heureusement, car tout ce qu'il avait dans son propre réfrigérateur était périmé. Décidément, il devrait penser à faire des courses et, surtout, à passer assez de temps chez lui pour éviter de laisser perdre ses victuailles.

— Je n'arrive pas à croire que jusqu'à aujourd'hui tu n'aies pas mis les pieds dans cette librairie, constata Laura McKay en se versant un thé.

— Tu y es déjà allée ?

— Oui, avec Diana.

Depuis leurs années de lycée, sa mère et Diana Ashbury étaient restées les meilleures amies du monde. Leurs enfants avaient grandi ensemble : Jace, le fils de Diana, était un bon copain à lui.

— Alors, que penses-tu de la propriétaire ? Diana achète tous ses livres chez elle. Elle adore Mlle Douglas.

— Elle l'adore ? répéta Tyler qui s'étouffa presque avec sa boisson gazeuse.

Comment pouvait-on « adorer » la Lane Douglas qu'il avait rencontrée ? Elle était spirituelle, ça oui, mais quelle froideur !

Et ce regard qui disait : « Ce n'est même pas la peine d'y penser » ! — ce qui n'avait fait qu'attiser sa curiosité.

— Oh oui ! D'après Di, elle vous déniche n'importe quel livre, sans pour autant faire payer de supplément.

Mlle Douglas avait donc le sens des affaires ! Voilà une qualité qu'il appréciait tout particulièrement. Dommage toutefois qu'elle ne fasse pas plus d'efforts côté charme. Quoique… il lui était peut-être antipathique, après tout.

— Elle ne participe pas au festival d'hiver.

— Oh ! Comment cela se fait-il ? demanda sa mère en levant les yeux de sa tasse.

La dernière bouchée de sandwich avalée, Tyler attrapa un torchon pour s'essuyer la bouche.

Sa mère lui lança une serviette.

— Je t'assure, Tyler McKay, tu as parfois des manières déplorables. Crois-moi, ce n'est pas comme ça que je t'ai élevé !

— C'est vrai. Désolé, répondit-il avec un sourire penaud. Je ne sais pas pourquoi elle n'y participe pas, enchaîna-t-il. Apparemment, elle veut simplement être laissée en paix.

— Pourtant, n'étant pas ici depuis longtemps, elle devrait rencontrer les autres commerçants. Tout le monde parle du travail magnifique qu'elle a accompli en restaurant cette maison. En tant que membre de la société historique de la ville, j'en suis enchantée. C'est grâce à elle que la municipalité n'a pas fait démolir cette merveille.

Il est vrai qu'avec ses murs jaune pâle, ses persiennes et sa porte vertes, la maison qui s'élevait sur deux étages était splendide. Une véranda blanche l'entourait, protégée par un auvent à la bordure de bois délicatement sculptée.

Et dire que, jusqu'à aujourd'hui, il n'y avait pas fait attention. C'était incroyable ! Avait-il donc été si absorbé par son travail qu'il n'ait pas remarqué quelque chose d'aussi évident ? Il est vrai qu'il avait été très occupé dernièrement : son père avait rêvé de faire de McKay Entreprises une société de construction compétitive, capable de tenir tête aux plus grandes. Si l'entreprise avait pris de son vivant un bon essor dans la région, elle aurait d'ici un an, grâce à son propre travail, une importance nationale.

— Oui, Mlle Douglas devrait absolument y participer, décréta sa mère, interrompant le fil de ses pensées. Je vais le lui demander moi-même. Tu sais que Diana est la présidente du festival.

Sa mère et Diana s'occupaient de quasiment tous les comités de Bradford.

— Quelle surprise ! fit-il, ironique. Je préférerais toutefois que vous ne vous en mêliez pas.

Pour peu que ce soit lui que Lane Dougla aille blâmer…

— Vraiment ? Et pourquoi donc ?

Il ne répondit pas immédiatement.

Sa mère l'observa une fraction de seconde, et subitement son visage s'éclaira.

— Elle te plaît ! lança-t-elle à brûle-pourpoint.

Zut !

— Non, bien sûr que non… En fait, peut-être que si. C'est difficile à dire.

Bon sang ! C'était tellement étrange, songea-t-il en se frottant machinalement la joue. Lane n'était absolument pas son type… pour peu qu'il ait un type. Mais qu'importe ! De toute façon, c'était bien la dernière chose qu'il souhaitait approfondir avec sa mère.

— Je la connais à peine, reprit-il, mais je peux te dire une chose : elle n'est pas facile à amadouer.

— Par toi en particulier, ou en général ?

Il était vrai qu'à part lui, il ne l'avait vue qu'avec Davis, avec lequel elle s'était montrée très aimable. Lui, en revanche, c'est tout juste si elle ne l'avait pas jeté dehors à coups de pied.

— Par moi, admit-il.

— Tu ne sais pas ce que tu dis, ce sont des suppositions : tu viens juste de la rencontrer. Et c'était après avoir percuté sa voiture, rappelle-toi, ce qui n'est pas idéal pour une première impression. Si je me souviens bien, elle ne ressemble pas à tes ex ?

— Et même si c'était le cas ? De toute façon, je ne cherche pas à me marier. Ce n'est pas la peine de commencer à tirer des plans sur la comète, maman, d'accord ?

— Clarice n'a jamais été une femme pour toi, répondit sa mère avec une petite grimace. Ne peux-tu pas l'oublier une fois pour toutes ?

— Non. D'ailleurs, tu l'aimais bien, répondit-il d'un ton involontairement accusateur.

Elle fronça dédaigneusement les sourcils :

— Je la tolérais parce que tu l'aimais.

— Sapristi, maman, pourquoi ne me l'as-tu pas dit avant ?

— Le devoir d'une mère est d'accepter et d'aimer la femme que son fils a choisie.

Fadaises ! Pourtant elle y croyait dur comme fer, c'était évident. Tout comme il était indubitable qu'elle avait cru bien faire.

— Eh bien, à l'avenir, j'aimerais avoir ton opinion.

Manifestement prise au dépourvu, elle cligna des yeux :

— Pourquoi ?

— D'abord parce que tu es un bon juge en matière de caractères, ensuite, parce que cela aurait pu m'éviter l'humiliation d'apprendre la vérité au dernier moment.

C'était la semaine de son mariage, quelques heures littéralement avant que les invités ne prennent l'avion pour assister à la cérémonie. A une soirée donnée par des amis en leur honneur, il avait surpris Clarice en train de dire à l'une de ses demoiselles d'honneur que, pour l'argent des McKay, elle était prête à tout supporter, même lui. Tandis que la réception battait son plein, il avait rompu avec elle et récupéré la bague de fiançailles de sa grand-mère, avant de partir faire ce qui aurait dû être leur voyage de noces, tout seul.

Il n'avait toutefois pas été facile de revenir à Bradford où les commérages allaient bon train. Seuls ses parents et son frère Kyle, qui aurait dû être son témoin, avaient su le fin mot de l'affaire. Quant à Clarice, il se fichait bien de ce qu'elle était allée raconter de son côté. Il avait eu sa dose de mensonges pour toute une vie et n'avait même pas essayé de se justifier. Pour lui, la page était tournée, plus jamais il ne répéterait la même erreur.

— Cela fait presque trois ans, Tyler.

— Qu'importe ! Je prends du bon temps, maman, alors oublie tout ça, répondit-il en lui déposant un baiser sur le front.

Et avant qu'elle n'ait eu le temps de le retenir, il avait filé.

Inutile de ressasser ce passé douloureux. Le souvenir de cette terrible humiliation ne lui rappelait-il pas qu'il était incapable de se fier à son propre jugement ? Surtout lorsque c'était son cœur qui était en jeu…

Lane se pelotonna dans un fauteuil moelleux, posa sa tasse sur la table basse et s'enroula dans un châle afghan.

Ces préparatifs pour sa soirée de lecture étaient devenus un rituel : du thé, des couvertures, des lumières tamisées, de la musique… l'odeur des biscuits à la cannelle de la boulangerie voisine disposés dans une petite assiette à portée de main. Des petits plaisirs tout simples.

Avant de venir vivre à Bradford, elle n'avait jamais eu de rituels. Comment aurait-elle pu penser qu'un jour ils viendraient adoucir son sentiment de solitude ? Cette solitude à laquelle Elaina Giovanni avait pourtant tellement aspiré.

Dans son ancienne vie, sa vie d'héritière, elle aurait été en train de se préparer pour une soirée au théâtre et un dîner au restaurant, sous le crépitement des flashes des paparazzi.

Frissonnant à ce souvenir, elle remonta le châle sur ses épaules.

Elle avait transformé l'appartement situé au-dessus de la librairie, initialement composé de quatre pièces, en un vaste studio avec kitchenette. Dans l'ancienne cuisine du rez-de-chaussée, elle avait ménagé un espace en marge de l'animation du magasin avec quelques bons fauteuils, pour permettre à ses clients de goûter la sérénité de tels moments, confortablement installés pour lire, bavarder avec des amis ou discuter d'un nouveau livre.

Un bruit léger vint briser le silence. Elle tourna la tête et jeta un coup d'œil en direction de sa chambre :

— Coucou, Ramsès ! Il pleut trop pour une virée dehors ?

Le chat au pelage d'ébène se dirigea vivement vers elle en ronronnant pour se frotter contre son pied. Puis, satisfait de lui avoir montré qu'il lui faisait l'honneur de sa compagnie, il se laissa tomber sur le tapis tressé.

La sonnerie du téléphone la fit sursauter. Etait-ce encore son père qui venait la harceler ? Elle se décida toutefois à répondre.

— Bonsoir, Lane.

Tyler McKay ! C'était bien la dernière personne dont elle attendait un appel.

— C'est un numéro privé, comment l'avez-vous eu ? Je pourrais faire un procès à la société de téléphone !

— Impossible. J'ai eu votre numéro par Diana Ashbury.

— Eh bien, la prochaine fois qu'elle viendra m'acheter des livres, je les lui ferai payer double prix.

Il se mit à rire.

— Que me voulez-vous, monsieur McKay ?

— D'abord, que vous m'appeliez Tyler.

— Et vous raccrocherez ?

— Je ne peux pas vous le garantir. Je vous téléphone pour vous demander si vous accepteriez de m'aider pour un travail d'intérêt public.

— Et de quel genre de travail s'agirait-il ?

— Le spectacle historique des enfants.

— Oh non ! répliqua Lane en secouant la tête, comme s'il pouvait la voir. Je n'ai jamais travaillé avec des enfants. En outre, je ne possède aucun talent qui puisse vous être vraiment utile.

— Allons, vous savez bien vous servir d'un marteau.

— Vous voulez dire pour planter un clou ?

Il eut un rire léger, presque intime. L'appellerait-il de son lit, par hasard ? L'idée lui effleura l'esprit.

— J'aime beaucoup vous entendre parler bricolage.

— Vous êtes affligeant, rétorqua-t-elle, ne pouvant néanmoins s'empêcher de sourire.

— Comment êtes-vous habillée ? demanda-t-il alors.

— Pardon ?

— Est-ce que vous portez ces horribles bottes chez vous ?

— Non, elles montent la garde sur le perron à l'arrière de la maison, au cas où la brigade de la mode pointerait son nez. Ce sont des hors-la-loi, vous savez.

Le rire de Tyler se faufila sous sa peau, et elle sentit son sang bouillonner. Elle se pelotonna plus profondément dans son fauteuil.

— Laissez-moi deviner. Vous êtes emmitouflée dans du pilou jusqu'au cou.

Lane jeta un coup d'œil à la chemise de nuit en satin rouge et à la robe de chambre assortie.

— Oui, avec beaucoup de petites fleurs et un nœud rose. Sans oublier que c'est un pyjama à pieds. Et maintenant, pouvez-vous m'expliquer le but de cette question ?

— Simple curiosité.

— La curiosité est un vilain défaut. Qu'y a-t-il ?

Ramsès était en train de miauler à ses pieds.

— Vous me parlez ?

— Non, je parle à mon chat, Ramsès.

— Pourquoi Ramsès ?

— Parce que les chats font en sorte de ne jamais nous laisser oublier qu'ils étaient vénérés par les pharaons.

Il émit un petit gloussement qui lui arracha un sourire :

— Une femme avec un chat, vêtue de pilou, a un potentiel pour une vie solitaire, Lane.

— Je suppose que j'y suis condamnée, alors. Dois-je sortir les napperons ?

— Non, pas encore, pouffa-t-il, l'enveloppant de sa gaieté.

— Qu'est-ce que cela peut bien vous faire, de toute façon ?

— Vous êtes beaucoup trop sexy pour rester enfermée.

Elle tiqua, regarda son chat et articula silencieusement : « Sexy ? »

Il n'y avait que Tyler McKay pour se laisser séduire par des bottes de combat et de longues jupes de toile, quand le seul but de ces vêtements était de l'enlaidir et de cacher sa véritable identité.

— Auriez-vous besoin de lunettes, par hasard ?

— J'ai une très bonne vue et ce que je vois me plaît, répliqua-t-il.

A ces mots, elle sentit son visage s'empourprer d'excitation.

— Bonne nuit, monsieur McKay !

— Non, « bonne nuit, Tyler » ! répondit-il patiemment. Dites-le. Vous ne risquez pas de vous consumer sur place.

Soudain espiègle, elle répéta de sa voix la plus sexy et la plus rauque :

— Bonne nuit, Tyler.

Et elle raccrocha.

Manifestement, il cherchait à en savoir plus sur elle, une constatation qui lui provoquait d'étranges petits picotements au creux du ventre.

Elle aussi pouvait le torturer, songea-t-elle, sachant que cela lui causerait sans doute exactement le genre d'ennui qu'elle fuyait à tout prix. Même si cela la flattait, elle ne pouvait pas le laisser l'apprivoiser, car elle n'aurait plus qu'à dire adieu à sa petite vie bien organisée.

Lane leva les yeux sur le client qui venait d'entrer, évaluant d'un regard appréciateur le costume de marque, le tissu de facture italienne, la coupe impeccable… C'est alors que la femme en elle reconnut l'homme qui le portait : Tyler McKay !

Sapristi ! Les mannequins qui défilaient pour elle autrefois n'avaient rien à envier à cet Adonis. Il lui fallut vraiment prendre sur elle pour ne pas rester bouche bée : pas question qu'il s'aperçoive de sa stupéfaction !

— Est-ce pour me prouver que vous gagnez bien votre vie, ou vous êtes-vous déguisé aujourd'hui ? demanda-t-elle en désignant son costume.

— Je suis entre deux rendez-vous, rétorqua Tyler.

Il s'arrêta devant le comptoir, plongeant son regard dans le sien, et la façon dont s'était terminée leur conversation téléphonique la veille au soir lui revint malencontreusement à la mémoire.

L'intonation de femme fatale qu'elle s'était amusée à prendre s'était infiltrée en elle, éveillant des vibrations imprévues. Après avoir raccroché, elle n'était même plus arrivée à se concentrer sur son livre.

— Que faites-vous encore ici ?

— Je vous ai amené une voiture, annonça-t-il avec un geste en direction de la vitrine, à travers laquelle elle aperçut une petite berline apparemment neuve, garée au bord du trottoir.

— Ce n'est pas ma voiture, monsieur McKay, fit-elle remarquer.

— Je sais. La vôtre était une antiquité ou presque, et il va falloir un moment pour faire venir les pièces de rechange. Celle-ci est un prêt.

— Mon assurance aussi prête des voitures.

— Eh bien, voici le prêt de la mienne.

— J'en doute fort.

— Ecoutez, je suis responsable de l'accident, c'est donc mon assurance qui paye.

— C'est une voiture d'entreprise appartenant à la société McKay. Je les ai déjà vues.

— Ça y ressemble, mais ce n'est pas le cas. Vous cherchez la dispute, c'est ça ? demanda-t-il après l'avoir étudiée un peu trop longuement à son goût.

— Oui. Ne l'entendez-vous pas à mon ton ?

— Si je vous connaissais mieux…

32

D'un regard, elle lui signifia que cela ne risquait pas d'arriver.

— Très bien ! Même si vous refusez mon amitié, vous avez quand même besoin d'une voiture, reprit-il en lui agitant les clés sous le nez.

— J'en ai une. Et dès qu'elle sera réparée, je…

— … récupérerai cet amas de ferraille, acheva-t-il.

Elle releva le menton, défiante, les lèvres pincées :

— J'aime conduire cette voiture.

— Elle ne vaut plus rien, croyez-moi. Il est grand temps que vous en trouviez une autre.

Une bouffée de fierté envahit Lane :

— Vous prétendez imposer votre volonté à tout le monde, ou juste à moi ?

— Si je pensais que c'était possible, j'essaierais plutôt de vous persuader de participer au festival.

Elle darda sur lui un nouveau regard acerbe :

— N'essayez pas de changer de sujet, McKay, l'avertit-elle. Je n'ai pas besoin de votre voiture, je n'ai pas besoin de votre argent. En fait, je n'en veux pas !

De façon totalement imprévisible, le visage de Tyler se fendit d'un large sourire.

Lane sentit son cœur faire un bond dans sa poitrine, et un furtif frisson de plaisir la secoua. Depuis quand n'avait-elle pas rencontré quelqu'un qui souriait autant ? Quelqu'un de simplement heureux de vivre ? C'était grisant.

« Ne nous emballons pas ! » lui souffla une petite voix intérieure. La légèreté de Tyler n'était-elle pas liée au fait qu'il valait des millions ? On ne pouvait pas dire qu'il croulait sous les soucis !

Elle était vraiment perplexe. Bien sûr, les gens fortunés se comportaient souvent de manière originale, mais c'était la première fois qu'elle était confrontée à ce genre d'attitude.

Etait-il en train de la draguer ? Ou simplement de tester son charme sur elle ?

Etant donné sa robe terne, son visage dénué de tout maquillage et sa coiffure stricte, elle savait pertinemment qu'elle était loin d'être attirante. Son but n'était-il pas justement de se fondre dans le décor, de passer inaperçue ? Moins on risquait de la reconnaître, mieux c'était.

Elle avait été styliste, avait eu ses propre showrooms à Paris et à Milan : en matière de vêtements, elle était incollable. Elle savait ce qu'ils flattaient, ce qu'ils cachaient, ce qu'ils dévoilaient. Et elle avait choisi délibérément de s'habiller dans ce style qui n'était pas le sien, avec ces couleurs qui ne lui allaient pas. Elle portait ses cheveux — auparavant disposés en boucles autour du visage — tirés en un chignon strict. Quant aux lentilles de contact ou à la délicieuse monture mode de la paire de lunettes qu'elle laissait dans son appartement, elle les avait remplacées par une banale monture d'écaille trop large pour son visage et pour la couleur de ses yeux. Un excellent bouclier derrière lequel se cacher !

— Je suis encore venu vous parler d'un travail d'intérêt public.

— Mon magasin est d'intérêt public.

— Mais les enfants…, fit-il valoir d'un ton plaintif en se penchant.

Lane ne bougea pas d'un cil. Il était hors de question qu'elle recule. Ce type était en train de la faire craquer, et l'envie de sourire la démangeait. Mais elle ne devait surtout pas y céder, il pourrait interpréter cela comme un encouragement.

— Ce n'est pas fair-play d'invoquer les enfants, répliqua-t-elle.

— J'essaye tous les arguments, répliqua-t-il avec un haussement d'épaules.

— Je n'ai pas fréquenté d'enfants depuis ma propre enfance. De plus, ils ont des parents pour se porter volontaires. Les comités de parents d'élèves et les kermesses scolaires où l'on vend ses gâteaux, ce n'est pas mon truc !

Et c'était la triste vérité. Une styliste de mode aurait bien du mal à gagner un concours de confection de tartes.

Le clochette de la porte tinta, et une femme d'une cinquantaine d'années entra, s'arrêta sur le seuil et balaya l'endroit d'un regard décidé.

Inspection des lieux en règle, constata Lane amusée, non sans remarquer l'élégance de la visiteuse.

De silhouette mince et menue, ses cheveux argentés coupés en un carré impeccable, elle portait des vêtements classiques : pantalon beige et chemisier marine, sous une veste en poil de chameau. Un foulard de couleurs vives était retenu sur ses épaules par une petite épingle brillante. Elle s'avança vers eux et s'arrêta à côté de Tyler, qui sembla l'écraser de sa haute taille.

— Bonjour, maman, dit-il d'une voix dans laquelle se devinait une pointe d'irritation. Notre conversation d'hier n'a donc servi à rien ?

— Tu m'as donné un ordre que je n'ai pas suivi. Je suis ta mère, j'en ai le droit. Fais les présentations, veux-tu, conclut-elle en lui donnant une petite tape sur le bras.

Avec un regard interrogatif en direction de Tyler, Lane sortit de derrière le comptoir.

— Bonjour, madame McKay. Je suis Lane Douglas. Ravie de vous rencontrer, j'ai beaucoup entendu parler de vous par Diane Ashbury.

— Tout le plaisir est pour moi, ma chère. Appelez-moi Laura. Je suis passée une fois avec Diana, il y a quelque temps. Elle adore votre librairie.

— Elle se cache dans un coin pour dévorer le dernier policier paru, confirma Lane.

— Je pense qu'elle vient autant pour le cappuccino et pour le calme que pour les livres.

Après avoir proposé un café à ses visiteurs, Lane passa derrière le bar.

Le bruit de la machine à vapeur étouffait celui de la conversation entre Tyler et sa mère. D'un coup d'œil furtif, elle surprit un froncement de sourcils de Tyler et un geste d'impatience de Laura McKay.

Ils parlaient d'elle, elle le savait.

— J'étais en train de tenter de convaincre Lane de prendre part au festival, expliqua Tyler en lui lançant un regard pour l'inclure dans la conversation. Pour le moment, j'essaye d'obtenir sa contribution au spectacle historique.

Par-dessus le bar, elle lui renvoya un regard noir.

— Alors vous avez fait venir du renfort.

— Je savais que la bataille serait rude, répondit-il.

— Vous n'avez donc aucune manière, monsieur McKay ? Quand je dis non, c'est non.

— Ma mère faisait justement allusion à mon manque de manières, l'autre jour, rétorqua celui-ci en regardant l'intéressée. Ça doit être dû à toutes ces années d'université loin de sa poigne de fer.

— Tyler, reste poli ! s'offusqua Laura.

— Pardon, maman.

Lane ne put s'empêcher de sourire : il y avait au moins une personne qui pouvait le faire plier.

— Toute aide supplémentaire serait vraiment appréciée, insista Laura McKay à son intention.

— Mademoiselle estime que c'est le rôle des parents, intervint Tyler.

— Je peux parler pour moi-même, merci, riposta-t-elle sèchement.

Les yeux fixés sur Laura, elle contourna le bar, deux tasses débordantes de mousse dans les mains, tout en expliquant :

— J'espère que vous comprendrez que je ne peux vraiment pas me disperser de la sorte. J'ai ouvert la librairie cette année et je suis seule à la tenir.

Laura but une gorgée de cappuccino :

— Divin ! Pas étonnant que Di prenne pension chez vous. Je comprends que votre affaire passe avant tout, enchaîna-t-elle avec un sourire affable, en fait il s'agirait d'une contribution ponctuelle : les parents aident autant qu'ils le peuvent, mais Tyler est seul pour s'occuper des décors.

— Volontairement, ou avez-vous accepté sous la pression ? s'enquit Lane en le regardant.

— Un peu des deux, répondit-il nonchalamment en soulevant sa tasse pour lécher la mousse qui en débordait.

Lane l'observa en se mordant les joues.

Se doutait-il de ses pensées à cet instant précis ? Oh oui ! Elle le lisait dans son regard. Tout son instinct féminin la poussait à flirter avec lui. Pourquoi ne pas répondre à ses avances et découvrir si cette bouche souriante avait aussi bon goût que les apparences le laissaient supposer ? Mais une autre partie de son cerveau s'activait à lui rappeler qu'elle avait une excellente raison de rester seule : elle avait cru à l'amour d'un homme dont le seul but avait été de se servir d'elle.

Or, voilà que Tyler McKay déboulait dans sa vie, tous sourires dehors, et on voulait la faire travailler avec lui ? Elle n'était pas si folle !

— Désolée, mais je manque réellement de temps.

Combien elle détestait mentir ! Et tout particulièrement à cette charmante femme. Elle vit le regard de Tyler s'assombrir comme s'il avait pu deviner ses pensées et sentit une boule de feu fuser en elle. Sapristi ! Tout cela ne présageait rien de bon.

— Je vous en prie, Lane, reprit Laura d'une voix douce. La façon dont vous avez décoré cette maison prouve que vous ne manquez pas de créativité.

— Merci. La décoration est l'un de mes hobbies, répondit Lane en s'étouffant presque.

Elle se sentait fléchir, un peu comme si elle avait dû payer pour son mensonge, quand le seul but était de se protéger. Tout cela était bien complexe. Sa culpabilité finit toutefois par avoir raison de ses réticences :

— Combien de temps pensez-vous avoir besoin de moi ?

— Deux heures chaque soir pendant les quelques jours qui viennent, répondit Laura avec un sourire enchanté. Le festival démarre la semaine prochaine et nous devons être prêts pour le spectacle des enfants qui marquera l'ouverture des festivités.

— D'accord, je vous consacrerai deux heures le soir, après la fermeture du magasin. Ai-je besoin d'apporter quelque chose ? conclut-elle en ignorant l'air ouvertement réjoui de Tyler.

— Non, ce sont les commerçants qui fournissent le matériel. Alors, à 19 heures au théâtre ?

Lane acquiesça, et Laura sortit après un rapide au revoir, seule. Tyler semblait décidé à rester. Il reprit son café et annonça :

— La première session est ce soir.

— Une promesse est une promesse, j'y serai.

Il jeta alors un coup d'œil à sa montre.

— Vous devez filer ? Quel dommage, enchaîna-t-elle suavement en tendant le bras pour escamoter son mug. N'oubliez pas de reprendre la voiture.

Sans crier gare, il la saisit par le poignet.

Une chaleur diffuse s'infiltra en elle, et son sang se mit soudain à bouillonner.

Relâchant la pression autour du poignet, sa main se glissa sous la manche de son pull. La gorge sèche, le cœur battant la chamade, elle protesta :

— McKay !

— Vous êtes si douce, murmura-t-il.

Ses doigts jouaient sur sa peau, lui suggérant des caresses beaucoup plus audacieuses. C'était parfaitement idiot, il ne s'agissait que de son bras, après tout. Mais s'il ne cessait pas ce petit manège, elle allait finir par l'attirer brutalement dans l'arrière-boutique pour l'embrasser à pleine bouche.

— Je ne sais pas ce qui chez vous me rend dingue, Lane, reprit-il en fouillant son regard, mais je suis prêt à mettre toute la patience nécessaire pour le découvrir.

— Eh bien vous risquez d'attendre longtemps, car il n'y a rien à découvrir.

Se penchant plus près, il lui donna une petite tape sur la tête.

« Embrassez-moi », l'implora-t-elle silencieusement.

— Je suis du Vieux Sud, murmura-t-il, son souffle chaud venant mourir sur ses lèvres. Et les hommes d'ici savent se montrer très patients…

— Allez donc dire ça au coffre de ma voiture ! lança-t-elle avec la pire mauvaise foi.

L'alarme de sa montre se mit en route.

Il sursauta et, avec un petit claquement de langue agacé, se redressa. Après lui avoir adressé un dernier regard, il laissa échapper un bref soupir, fit volte-face et se dirigea vers la porte.

Baissant les yeux, elle aperçut un trousseau de clés sur le comptoir.

— McKay, reprenez ces clés.

L'ignorant, il avança la main vers le bouton de la porte.

— Tyler !

Après lui avoir lancé un regard triomphant par-dessus son épaule, il sortit et grimpa dans une berline identique à celle qu'il lui avait laissée.

— Décidément, cet homme ne veut rien entendre, maugréa-t-elle, le trousseau encore chaud à la main.

Elle l'enfouit dans sa poche et fit ce qu'elle savait faire de mieux : elle l'ignora.

Elle ignorait positivement Tyler McKay.

Pourtant, au bout de dix secondes à peine, elle se laissa tomber dans un fauteuil et, tirant machinalement sur ses vêtements, laissa s'échapper la pression accumulée pendant l'entrevue dans un vaste soupir.

Cet homme était dangereux, c'était incontestable. Si elle tombait amoureuse de lui, cette fois elle savait qu'elle ne s'en relèverait pas.

3.

A l'intérieur du théâtre municipal, les éclairages étaient presque aveuglants. La scène et la fosse d'orchestre grouillaient d'adultes et d'enfants travaillant par petits groupes à différents projets.

Lane venait de traverser la salle pour rejoindre la scène lorsque Tyler surgit des coulisses, une pile de planches sur l'épaule. Quand il l'aperçut, il s'arrêta net, et son beau visage se fendit d'un large sourire. Elle sentit une vague de chaleur l'embraser. Puis le regard de Tyler se posa sur ses bottes et, avec une grimace, il secoua la tête.

Pour toute réponse, elle lui tira la langue.

— Je savais que vous viendriez, dit-il.

— Ne triomphez pas trop vite, McKay. J'ai cédé à la pression de votre mère, voilà tout.

— Eh bien, je suis content de savoir qu'une chose au moins vous atteint.

« Oh, lui ! » enragea-t-elle, tandis qu'il l'enveloppait d'un regard enjôleur, reflétant une convoitise dont elle se serait bien passée.

Pourquoi diable l'intéressait-elle autant ? Quelque chose dans son apparence ne devait pas être suffisamment étudié, elle allait devoir travailler à renvoyer une image encore plus vieillotte.

Elle le regarda un instant s'éloigner, les yeux fixés sur ses fesses moulées dans son jean étroit, sa ceinture à outils ondulant sur ses hanches, puis elle se mit en quête de la présidente, Diana Ashbury.

Cette femme de petite taille, aux cheveux bruns coupés court et au teint de porcelaine, lui rappelait un peu sa mère, à la différence près que jamais on n'aurait surpris Lionetta Giovanni en train de monter un spectacle historique d'enfants. Elle préférait mille fois mettre son argent dans des galas de bienfaisance où elle pouvait se pavaner dans l'une des robes créées par sa fille. Diana, en revanche, vêtue d'un jean et d'un sweat-shirt sous un tablier dont les poches débordaient de fournitures, prenait son rôle de coordinatrice très au sérieux.

— Merci d'être venue, Lane.

— Mes deux mains sont à votre disposition, répondit-elle sobrement.

Diana désigna d'un geste les postes de travail disséminés à travers le théâtre :

— Vous avez le choix, déclara-t-elle.

— Vous n'avez qu'à m'envoyer là où je serai le plus utile.

La présidente laissa échapper un petit soupir, sortit un petit carnet et parcourut rapidement ses notes.

— Les costumes sont loin d'être finis, constata-t-elle d'une voix plaintive.

Quelque chose qui depuis longtemps sommeillait en Lane lui fit battre le cœur plus vite. « Costumes », cela signifiait couper, coudre, ajouter une touche de style, qui sait ? Bien sûr, il ne s'agirait pas de haute couture, mais ce serait l'occasion d'exercer de nouveau ses talents, même si ce n'était que pour un spectacle d'enfants.

Essayant de contenir son enthousiasme, elle répondit :

— N'en dites pas plus, je m'en occupe.

Sur ces mots, elle se dirigea vers la fosse d'orchestre dans laquelle une grande table avait été dressée avec deux machines à coudre sur lesquelles s'activaient deux jeunes femmes.

La table et les chaises étaient couvertes de coupons de tissus et de mètres de feutrine. Une demi-douzaine d'enfants couraient dans tous les sens en criant, tandis que, assises par terre, deux petites filles que toute cette agitation semblait laisser indifférentes étaient totalement absorbées par leurs poupées. Entre deux points et deux coups de ciseaux, les couturières bénévoles hurlaient à leurs enfants de se calmer.

Lane se présenta aux deux mères qui la mirent au courant.

— Et si vous faisiez une pause ? Je me charge de la couture, proposa-t-elle.

— Vous êtes sûre ?

Quand elle fit un signe d'assentiment, toutes deux se précipitèrent sur leurs progénitures.

Pour Lane, le fait de coudre était presque machinal. Elle s'empressa de remettre de l'ordre sur la longue table, vérifia le métrage des coupons et les couleurs qui allaient lui être utiles et, après un rapide coup d'œil sur les patrons, s'assit à la machine à coudre.

Lorsqu'elle leva les yeux pour se mettre en quête d'Anna, la jeune princesse de la pièce, elle vit au-dessus d'elle Tyler qui, debout sur la scène, l'observait. Une main sur la hanche, il faisait tourner un marteau de l'autre.

Les battements de son cœur s'accélérèrent. Elle sentit son estomac se contracter et ses joues s'empourprer comme une adolescente.

Cet homme avait trop de pouvoir sur elle. Et ce pull lavande qui accentuait le bleu de ses yeux et son jean moulant n'étaient pas pour arranger les choses.

— J'étais en train de me demander si vous vous arrêtiez parfois pour respirer.

Elle jeta un coup d'œil à sa montre. Sapristi ! Cela faisait déjà plus d'une heure qu'elle travaillait.

— Menteur ! riposta-t-elle.

Son sourire s'évanouit.

— Je ne mens jamais, répondit-il, les yeux plissés.

Il avait l'air en colère.

Le poids de ses propres mensonges vint soudain frapper Lane de plein fouet. Pourtant, se raisonna-t-elle, elle avait de bonnes raisons de se cacher, de mentir…

— Je m'en souviendrai, répliqua-t-elle.

« Et je n'oublierai pas que vous ne tolérez pas le mensonge », finit-elle pour elle-même. C'était une raison de plus pour garder ses distances.

— Accepteriez-vous d'être ma cavalière au bal d'hiver ?

Elle cilla à ce changement inopiné de sujet. Avait-elle bien entendu ? Quelques personnes s'étaient arrêtées de travailler pour les regarder.

— Pardon ? fit-elle innocemment, cherchant à gagner du temps.

— Le bal d'hiver est l'événement qui clôt le festival. C'est une grande fête qui se déroule au Country Club.

— Je vois.

Elle inspira profondément et, ignorant la petite voix intérieure qui l'implorait de dire oui, se contenta de répondre :

— Non, merci.

Tyler exhala un soupir résigné. Son refus ne le surprenait manifestement pas.

— Je me contenterai donc de vous inviter à dîner tout à l'heure, annonça-t-il en s'accroupissant au bord de la scène, le regard toujours fixé sur elle.

— Non, encore merci.

Et, se détournant, elle appela Anna.

La petite fille accourut. Elle lui posa la main sur l'épaule avant de continuer à l'intention de Tyler :

— Et maintenant, si vous voulez bien nous excuser, la princesse a un essayage.

— Vous devez dîner, rappela-t-il.

— Sûrement pas avec vous !

Le rire de Tyler s'envola de la scène et il reprit son travail.

Lane s'obligea à se concentrer sur la petite fille qui, sa tiare sur la tête, parfaitement immobile, la laissait épingler la vaporeuse jupe de tulle sur son body de satin.

— Alors, qu'en penses-tu ?

— C'est magnifique, mademoiselle Douglas ! répondit-elle avec un enthousiasme communicatif, aussi impressionnée qu'on peut l'être à six ans.

La petite princesse paraissait aux anges. Comme il était facile de satisfaire un enfant ! Tellement plus facile que les clientes et les modèles capricieux de son passé.

Alors qu'Anna courait retrouver ses amies, Lane remarqua que les mères des petits acteurs avaient l'air littéralement éreintées devant l'excitation qui allait croissant.

A quoi bon garder les enfants debout si tard, quand elle savait pouvoir confectionner les costumes en deux temps trois mouvements ? Elle décida de faire un point rapide sur le déguisement de chacun et, une fois les mesures prises, annonça qu'elle n'avait plus besoin d'eux. Les jeunes femmes, débordantes de reconnaissance à l'idée d'aller coucher leurs chérubins, lui promirent de lui apporter le lendemain des cookies faits maison pour ses clients.

Elle se remit à la machine à coudre, et, malgré le brouhaha, rien ne vint plus la distraire de sa concentration

Deux heures plus tard, une voix la fit soudain sursauter.

— Hé ! Je crois que vous pouvez vous arrêter, maintenant.

Encore Tyler ! Son sang se mit à bouillonner dans ses veines. Il se tenait à un souffle d'elle, dégageant une odeur mélangée de sciure de bois et d'after-shave, le visage si buriné qu'elle faillit fondre sur sa chaise.

Voilà qui ne présageait vraiment rien de bon. Elle n'avait pas réagi de cette façon à la présence d'un homme depuis… en fait, pour dire la vérité, c'était la première fois.

Tyler dut remarquer une certaine lueur dans ses yeux, car son expression s'éclaira.

— Eh bien ! Quand vous décidez de vous y mettre, vous en abattez du travail, constata-t-il.

— Il m'a suffi de me concentrer, ces patrons ne sont pas compliqués à réaliser, répliqua-t-elle, ignorant son compliment, tout en essayant de réprimer les petites décharges électriques qui lui parcouraient le corps.

Le regard de Tyler se posa sur les costumes terminés suspendus à un portant.

— En tout cas, vous avez presque fini. Et le résultat est excellent.

— Je dois encore m'occuper des galons et des faux boutons des uniformes.

— Ça peut attendre demain.

— C'est vrai, admit-elle en s'adossant à sa chaise avec lassitude.

— Maintenant, vous allez dîner avec moi.

Elle allait encore devoir dire non, mais, la fatigue jouant, elle se sentait plus vulnérable. Attention !

— Nous allons vraiment avoir des problèmes, Tyler, si vous persistez à me lancer constamment les mêmes injonctions irrecevables, répliqua-t-elle en le regardant.

— Jamais deux sans trois. Dînez avec moi.

— Non, merci.

Quel qu'en soit le prix, elle ne cédait pas.

— Vous êtes une vraie tête de mule, sourit-il. Il s'agit simplement de dîner.

— A cette heure-ci, vous ne trouverez rien d'ouvert.

Elle savait qu'ici, après 21 heures, hormis quelques restaurants chic et une pizzeria, tout était fermé.

— Qu'en savez-vous ? demanda-t-il en reculant d'un pas pour lui montrer les sandwichs, les chips et les boissons gazeuses disposés sur une table servant de buffet.

D'autres personnes étaient en train de dîner par petits groupes. Avec un sourire réticent, elle constata :

— D'accord, dans ce cas, je ne peux pas refuser.

Tyler enfonça ses pouces dans ses poches de jean, regarda autour de lui et, d'un signe de tête, lui désigna un endroit tranquille où s'installer, à l'extrémité de la scène.

Assise les pieds dans le vide, elle accepta le sandwich et la canette de boisson gazeuse qu'il lui apporta. Puis il se laissa tomber à côté d'elle.

— Ce sont les chaussures les plus laides que j'ai jamais vues sur une femme, déclara-t-il.

— Vous me l'avez déjà dit, répliqua-t-elle en regardant ses bottes. Elles sont confortables et chaudes. Comme les vôtres, conclut-elle en lui donnant un petit coup de pied amical.

Il portait le même genre de bottes, plutôt défraîchies. Pour toute réponse, il la dévisagea une minute.

— Vous êtes étonnante, se contenta-t-il d'observer. Vous êtes arrivée et vous avez carrément pris les choses en main.

Elle écarquilla les yeux.

— Bonté divine ! C'est vrai. Vous croyez que cela va les vexer ? C'est leur projet, après tout. Je ne suis qu'une pièce rapportée.

Souriant, il hocha la tête :

— C'est le projet de toute l'école. Vous avez vu, d'ailleurs, à quelle vitesse les mères de famille ont filé ? Elles vous étaient reconnaissantes. Tout le monde l'était.

— Je dois avouer que ça m'a amusée. Et pour vous, comment cela s'est-il passé ? enchaîna-t-elle, sans lui laisser une chance de lui demander la raison de son efficacité.

Tyler jeta un coup d'œil à la pile de planches et au chevalet pour scier le bois. Il avait manifestement encore du travail devant lui.

— Il nous reste un décor à finir et quelques travaux de peinture, mais je vous en parlerai demain.

— Demain ? gémit-elle.

— Vous avez accepté de participer à la préparation du spectacle, lui rappela-t-il avec un sourire.

— J'aide, se défendit-elle. Et uniquement parce que votre mère a réussi à m'embarquer dans cette histoire.

— Je sais. Vous croyez que je ne m'y connais pas en artillerie lourde ?

Elle eut un petit rire :

— Vous avez une bouche ravissante, Lane, reprit-il. Vous devriez rire plus souvent.

— Mais je ris, au moins deux fois par jour.

— Pas avec moi !

— Vous voulez des compliments ? Je pensais qu'avec votre fan-club, vous étiez comblé.

Tyler haussa un sourcil interrogateur, et elle lui désigna deux très jeunes filles qui n'arrêtaient pas de lui lancer des regards en coin.

— Ce sont des gamines.

— Elles ont dix-huit ans, McKay, et elles font tout pour attirer votre attention.

— Eh bien, ça ne marche pas ! riposta-t-il en se retournant vers elle.

Et sans lui laisser le temps de répondre par une pirouette, il reprit :

— J'entends à votre accent que vous n'êtes pas d'ici. Qu'est-ce qui vous a amenée dans le Vieux Sud ?

Comment répondre à cette question ? Elle décida de choisir ses mots avec précaution :

— Le rythme tranquille, la beauté des paysages.

« Et l'anonymat », conclut-elle *in petto*.

— Vous avez toujours vendu des livres ?

— Oui.

Et allez donc, encore un mensonge ! Oh, et puis après tout, au point où elle en était ! Mais vu la montagne de mensonges sur laquelle elle était juchée, elle avait intérêt à faire attention à ne pas dégringoler.

— Pourquoi avez-vous décidé de rénover cette vieille maison ?

Là, elle pouvait dire la vérité.

— En dépit de cette hideuse peinture verte dont elle était enduite, j'ai eu le coup de foudre. La maison était comme une vieille dame distinguée. L'abandon était en train de la tuer à petit feu et elle suppliait qu'on lui mette une robe neuve.

Il sourit et observa :

— C'est en effet la façon dont je vois les vieilles maisons des environs. Ou plutôt, comme des vieilles âmes qui s'éteignent. Savez-vous que mon grand-père et mon père ont démarré en ne faisant strictement que des rénovations ? Vous n'avez pas fait appel à McKay Entreprises pour vos travaux, n'est-ce pas ?

— Non, à votre concurrent.

Posant une main sur son cœur, il se pencha légèrement en avant, faisant mine d'avoir reçu un coup.

— Vous étiez trop chers pour moi, expliqua-t-elle.

— La qualité se paye, ma chère, répliqua-t-il.

— Ils ont fait un excellent travail, et en plus ils ont respecté les critères de la Société des monuments historiques. Quant à l'intérieur, j'ai presque tout fait seule.

— Comment avez-vous appris ? demanda-t-il en levant un sourcil étonné.

Une fraction de seconde, elle le regarda, puis répondit :

— Dans des livres.

Derrière eux, au fond de la scène, on s'affairait à ranger les outils, mais rien ne semblait pouvoir distraire l'attention de Tyler qui la dévorait du regard.

Qu'est-ce qu'il cherchait ?

— J'ai envie de vous voir sans vos lunettes ! murmura-t-il.

— Vous pouvez toujours attendre.

— J'attendrai.

La dernière bouchée avalée, il avança la main, une serviette au bout des doigts et, malgré son petit mouvement de recul, essuya une trace de mayonnaise sur son menton. Son pouce vint lui frôler les lèvres.

— Tyler ! protesta-t-elle en lui repoussant le poignet.

Il lui attrapa la main.

Elle eut l'impression qu'une vague de chaleur se déversait de lui à elle, la submergeant soudain. Une lave lourde et ardente se propagea dans ses veines et, l'espace d'un instant, elle se sentit sombrer. Sa bouche aux lèvres voluptueuses était si tentante ! Seigneur, elle mourait d'envie d'être seule avec

50

lui ! songea-t-elle, totalement prise au dépourvu. Après tout, elle le connaissait à peine !

Un éclat de rire derrière eux vint rompre le charme.

Tyler s'écarta et commença à réunir les restes de leur repas. Il tourna les yeux vers elle puis, avec un haussement d'épaules, se dirigea vers les poubelles.

Même lui avait apparemment besoin de s'éloigner du brasier qui se consumait entre eux.

Lane regarda stupidement la serviette qu'elle serrait encore dans sa main, se débattant avec le trouble qui s'emparait d'elle en présence de cet homme.

Bon ! Il était temps de ne plus faire l'autruche et de poser les bonnes questions : si elle ne se cachait pas, si elle n'était pas obligée de garder des secrets et… si elle n'avait pas eu le cœur brisé par Dan Jacobs, que ressentirait-elle pour Tyler ?

Elle coula un regard de côté dans sa direction.

Aucune hésitation ! Dans ce cas, elle se jetterait sur lui comme un chat sur un bol de crème.

Ses yeux glissèrent sur ses longues jambes, pour remonter jusqu'à ses épaules bien découplées. Il était tout simplement à tomber ! Difficile de croire qu'il passait toutes ses journées au bureau.

Il venait de lancer un gobelet dans la poubelle, qu'il avait manquée. Lane sourit en le regardant se baisser pour le récupérer.

Juste derrière lui, une jeune fille qui ramassait des planches se retourna au moment précis où il se relevait, et l'extrémité d'une planche l'atteignit à l'arrière de la tête.

— Tyler ! s'exclama Lane en le voyant tituber.

Il s'écroula par terre et elle se précipita. La jeune fille se confondit en excuses tandis que Tyler gémissait, les mains derrière la tête.

Lane tomba à genoux à côté de lui et tâta la bosse qui était en train de se former sur son crâne. Heureusement, ça ne saignait pas.

— C'est exactement ce que je pensais, le taquina-t-elle. Vous avez la tête bien trop dure pour qu'elle craque.

— Je suis blessé, plaida-t-il, tournant les yeux vers elle. Consolez-moi un peu.

— Pauvre bébé.

Elle examina ses yeux. Aussi limpides qu'un ciel bleu, ils ne montraient aucun signe de commotion.

— Regardez-moi, Tyler. Que voyez-vous ? demanda-t-elle en lui présentant deux doigts.

— Je vois une belle endormie, répondit-il en les attrapant.

— Arrêtez de flirter et répondez-moi, le réprimanda-t-elle en faisant les gros yeux.

— Tout va bien. Mmm…, huma-t-il, vous sentez bon.

Lane fut submergée par un tel sentiment de soulagement qu'elle en resta muette. Elle releva la tête vers les gens qui faisaient cercle autour d'eux.

— Pourriez-vous aller chercher de la glace ? demanda-t-elle enfin. Tout va bien, reprit-elle à l'intention de la jeune fille en larmes agrippée à son petit ami.

Son regard revint alors sur Tyler

— J'aime bien quand vous vous inquiétez pour moi, dit-il.

— Je m'inquiéterais pour quiconque ayant reçu un tel coup sur la tête, répliqua-t-elle. Vous êtes un vrai danger pour vous-même. D'abord ma voiture, maintenant ça…

Inutile de lui avouer que son cœur s'était presque arrêté de battre lorsqu'elle l'avait vu s'affaisser.

Quelqu'un lui tendit de la glace enveloppée dans un torchon, qu'elle plaça derrière la tête de Tyler. L'équipe reprit ses rangements et l'un des hommes présents proposa de le ramener chez lui.

— Je peux conduire, répondit l'intéressé en s'asseyant. J'ai pris des coups plus durs au football.

— Vous n'avez plus dix-huit ans, vous n'êtes plus invincible, fit-elle valoir. De plus, vous avez déjà prouvé que vous n'êtes pas le meilleur des conducteurs.

Il lui décocha un regard noir.

— Vous ne cessez de me le rabâcher.

— Evidemment, répliqua-t-elle d'un air suffisant. Bon, je vous reconduis chez vous.

A ces mots, le visage de Tyler se fendit d'un sourire béat.

— Oh ! pour l'amour du ciel ! s'exclama-t-elle en se relevant pour aller chercher son sac.

Après avoir vérifié que tout était en ordre sur sa table de travail, elle revint vers lui. Tyler se leva en titubant de façon exagérée et s'appuya sur elle.

— Arrêtez donc votre cinéma ! dit-elle en le repoussant.

Il s'agrippa néanmoins à elle, posant lourdement son bras autour de ses épaules. Lane absorba la chaleur de son corps, son parfum. Il se mit à jouer avec l'une de ses mèches rebelles et, quand elle le regarda, son sourire langoureux lui indiqua clairement où l'entraînaient ses pensées vagabondes.

Elle secoua la tête et, lorsqu'ils eurent atteint sa voiture, se dégagea de son emprise.

Une bruine de fin de journée baignait l'asphalte, dans laquelle se reflétaient les réverbères.

— Où habitez-vous ? demanda-t-elle, une fois à l'intérieur du véhicule.

Il lui indiqua la direction de sa maison, et quelques minutes plus tard ils s'arrêtaient dans une allée menant à une immense bâtisse sur pilotis.

Ses trois étages surplombaient un rez-de-jardin abritant le garage. On entendait le bruit des vagues qui venaient s'écraser sur la plage toute proche.

Lorsqu'elle sortit de la voiture, le parfum iodé de la mer la submergea, porté par un vent plus violent qu'au centre de la ville. Tyler s'approcha d'elle, secouant le torchon d'où les morceaux de glace s'échappèrent, s'étalant sur la pelouse comme des diamants dans le clair de lune.

— Vous avez une très belle maison, constata-t-elle.

— Je suis content qu'elle vous plaise, dit-il en lui emboîtant le pas pour remonter l'allée.

— C'est vous qui l'avez construite, n'est-ce pas ?

Sans attendre son invitation, Lane gravit les marches de l'escalier conduisant à la spacieuse véranda qui courait autour du bâtiment.

Pourquoi était-elle vide de tables, de fauteuils, de balancelles ? Son seul décor était une fougère oubliée qui ployait dans un coin

— C'est sublime, observa-t-elle néanmoins sincèrement.

L'allée et les massifs d'arbustes étaient éclairés par des petites lanternes anciennes, en parfaite harmonie avec le chemin de pierre qui contournait la maison. Un bâtiment annexe, la réplique d'un ancienne remise à voitures à cheval, était séparé de l'habitation principale par un abri.

— C'est votre atelier ? demanda-t-elle en désignant la remise.

— Oui. J'y travaille aux dernières touches, principalement aux moulures. Voulez-vous jeter un coup d'œil ?

Un signal d'alarme l'arrêta soudain. Seule, avec lui ?

Tout son corps lui criait oui ! Dieu merci, son cerveau fonctionnait aussi.

— Une autre fois, peut-être.

— Allez, Lane. Laissez-moi vous offrir un café.

Elle poussa un soupir et le regarda.

— Tyler, nous savons tous les deux ce que vous voulez.

— Moi qui pensais faire preuve de subtilité…

Elle eut un petit rire acerbe.

— Je ne suis pas stupide. Vous voulez coucher avec moi.

Il se rapprocha d'elle et plongea son regard dans le sien.

— Je veux bien plus que ça, Lane.

Elle sentit son estomac se serrer. Son sang ne fit qu'un tour, sa peau était parcourue de petites décharges électriques. Cela faisait longtemps, beaucoup trop longtemps qu'un homme ne l'avait pas regardée avec une convoitise aussi flagrante. La vague brûlante la submergea de nouveau, tous les désirs qu'elle pensait avoir jugulés l'assaillant soudain.

— Nous venons juste de nous rencontrer, je ne comprends pas !

Tyler ne comprenait pas non plus, mais son corps réclamait cette femme, voulait lui prouver à quel point tous deux étaient faits pour s'embrasser langoureusement et vivre ensemble une relation torride entre des draps frais. Jamais aucune autre ne lui avait inspiré un tel attrait. Elle avait raison, ce devait être le défi qui le stimulait : plus elle le repoussait, plus il avait envie d'elle.

Bien sûr, cette envie restait purement physique, il ne pouvait pas en être autrement. C'était son corps qui parlait, pas son cœur. Son cœur, lui, n'était pas concerné.

— Apparemment, je ne peux pas m'en empêcher quand je suis avec vous, finit-il par répondre.

— Vous plaidez pour vos hormones en folie ? A votre âge ? demanda Lane.

Il plissa le front devant les ombres qui passaient dans son regard. Curieux ! Il ne les avait jamais remarquées auparavant.

— Prenez deux cachets d'aspirine et allez vous coucher, lui recommanda-t-elle d'un ton péremptoire, comme pour mettre autant de distance que possible entre eux. Que ce soit vous ou un autre, je ne suis pas intéressée par une relation. Tout ce que je représente pour vous, c'est un défi. Alors, bas les pattes !

La dureté de sa voix le prit au dépourvu :

— Lane, attendez. Vous vous trompez.

— Bonne nuit, Tyler, se contenta-t-elle de répondre en s'approchant de l'escalier.

Avant qu'elle n'ait eu le temps de descendre la première marche, il l'avait rejointe et attrapée par le bras. Lane dut s'agripper à sa taille de l'autre main pour retrouver son équilibre, et pendant un moment ils se dévisagèrent fixement, leurs visages à deux centimètres l'un de l'autre.

— Je vous en prie ! le conjura-t-elle sèchement.

— Peut-être vous ai-je considérée comme un défi pour commencer, admit-il. Mais plus maintenant. Venez, je vous en prie.

Elle émit un petit son d'effroi.

Sa bouche était tout près, si chaude, si tentante. Et si elle acceptait son invitation ?

Elle s'imagina étendue avec Tyler, convoitée, partageant bien plus que des mots et qu'une soirée au restaurant. Elle se vit enveloppée de la lourde vapeur de son désir, s'agrippant à lui au moment de l'extase… Attention ! Elle ne ferait que jouer son jeu, rien de plus. Elle avait déjà été un pion dans le jeu d'un autre homme, et une fois suffisait.

Mais la réalité planait au-dessus d'elle comme un dragon menaçant : Dan Jacobs, les tabloïdes… Le scandale des liens mafieux qui entachait la respectabilité de sa famille avait éclaté dans la presse une semaine avant son défilé de printemps. En l'espace de quelques jours, la styliste la plus branchée d'Europe et de New York était devenue la risée du milieu de la mode, et sa carrière avait été détruite.

Elle tenait au petit monde sécurisant qu'elle s'était reconstruit. Si elle voulait le garder, elle ne pouvait se permettre de prendre le moindre risque. Il n'était donc pas question d'envisager d'aller plus loin avec Tyler. Même une amitié superficielle serait hasardeuse. Qu'il apprenne la vérité et attire l'attention sur elle serait grave, et il était encore plus dangereux d'ouvrir de nouveau son cœur à un homme.

— Je ne peux pas.

— Vous pouvez, affirma-t-il en s'emparant de sa bouche.

Lane sentit le sol se dérober sous ses pieds. Elle n'entendait plus rien, ne voyait plus rien, avait soudain l'impression d'être dans un cocon : Tyler la retenait prisonnière de toute sa sensualité, sa bouche moelleuse se mouvant sur la sienne, prenant son âme au piège.

De sa langue, il effleura ses lèvres qui s'ouvrirent comme une fleur. Elle ficha ses doigts dans ses hanches, et le monde bascula.

Mama mia, elle avait oublié qu'un homme pouvait embrasser comme ça.

4.

Ce simple baiser embrasa le désir qui couvait entre eux. D'abord langoureux, il ne tarda pas à gagner en sensualité, plongeant Tyler dans un océan de volupté. Il sentit son imagination s'emballer. L'envie de l'entraîner à l'intérieur, de la dévêtir, de lui faire l'amour à même le sol dans l'entrée le taraudait. Il la voulait follement, tout de suite. Incapable de penser, il ne pouvait que se raccrocher à cette vague montante de plaisir exacerbé. Tout absorbé qu'il était, il se rendit néanmoins compte d'une chose : si elle ne se refusait pas, elle ne s'abandonnait pas totalement non plus. Qu'est-ce qui la retenait de se fondre en lui ? Avec un petit gémissement de frustration, il referma ses bras autour d'elle et lui passa la main dans les cheveux.

Mais brusquement elle recula, s'arrachant à son étreinte.

— Non, Tyler.

S'il se fiait à l'expression de son visage, elle était aussi abasourdie que lui.

— Ce baiser me disait plutôt oui, chérie. Reviens ici, dit-il en tendant le bras vers elle.

Un court instant, son regard fouilla le sien.

— Je ne peux pas, pas avec vous, dit-elle d'une voix altérée.

Et sur ces mots, elle tourna les talons et dévala les marches quatre à quatre, ses cheveux défaits tombant en cascade sur ses épaules.

Bon sang, elle courait presque ! C'était bien la première fois qu'il voyait une femme filer aussi vite, s'étonna-t-il, sourcils froncés. Elle monta dans sa voiture sans se retourner une seule fois vers lui et disparut au bout de quelques secondes au fond de l'allée.

Après l'avoir suivie des yeux, Tyler tituba contre un pilier de la véranda et se passa la main dans les cheveux, en proie à une immense déception. La bosse qu'il avait sur le crâne lui arracha une grimace de douleur.

Et zut ! C'était presque aussi douloureux que ce désir non assouvi qui le tenaillait.

Il s'était remis à pleuvoir. Il attrapa ses clés dans sa poche et, une fois dans le vestibule de la maison déserte, s'arrêta pour écouter le silence ponctué par l'averse.

Il venait de passer à côté de quelque chose de vraiment magique, ça, il en était sûr.

Lane pila au feu rouge et laissa tomber sa tête sur le volant, essayant de rafraîchir son front brûlant : il fallait qu'elle se reprenne.

Une première fois, puis une deuxième, elle jura tout bas. C'était peine perdue.

Tous ses sens en émoi, elle sentait les battements de son cœur survolté attiser le brasier que ce baiser avait allumé dans son corps. Avec un soupir, elle s'adossa à son siège et retira son écharpe. Puis, ouvrant sa veste, elle tenta de s'éventer et finit par baisser la vitre pour laisser entrer l'air frais de la nuit. En vain. Ses lèvres étaient encore gonflées de désir.

Avec ce baiser, Tyler s'était imprimé en elle. Ses ennuis ne faisaient que commencer !

Le regard assombri de convoitise du jeune homme la poursuivait. Tous les efforts qu'elle faisait pour s'enlaidir, cacher son véritable aspect derrière un manque total de coquetterie, l'avaient laissé totalement indifférent.

Aurait-il tout deviné, compris qu'elle lui mentait depuis le début ? Non, elle ne pouvait pas se permettre de l'imaginer !

Manifestement, cet homme n'était pas du genre à accepter facilement d'être dupé, et elle ne voulait pas qu'il la déteste…

Hélas, d'autres éléments étaient à prendre en considération. Dan Jacobs par exemple, qui pouvait débouler de nouveau dans sa vie d'un instant à l'autre pour raviver les humiliations et les secrets laissés derrière elle. Le journaliste n'avait-il pas été payé pour écrire un article sur les prétendues relations de sa famille avec la mafia ?

C'était une conversation téléphonique surprise par hasard qui lui avait ouvert les yeux sur le double jeu de Dan et la raison exacte pour laquelle il l'avait séduite.

Une fois l'article publié, son père et elle avaient été contraints de soumettre les livres de comptes de leurs sociétés respectives aux autorités. Certes, en dehors des quelques photos de paparazzi montrant Angel en compagnie d'hommes d'affaires douteux, le FBI n'avait jamais trouvé le moindre indice de blanchiment d'argent. On n'avait pu prouver le moindre lien entre les Giovanni et la mafia. Mais ces rumeurs étaient parvenues à mettre un terme à sa carrière : des formules telles que « Les créations Giovanni tissées avec le fil de la mafia » s'étalaient en gros titres dans la presse, les clients se faisaient rares…

Elle ne comprenait toujours pas pourquoi son frère frayait avec des mafiosi sans se soucier des conséquences sur sa famille. Elle aurait pourtant bien aimé lui dire deux mots !

Quoi qu'il en soit, si ce serpent de Dan Jacobs la localisait, il ne manquerait pas une occasion de remuer la boue, d'étaler de nouveaux mensonges en première page. Même si au fond de son cœur elle croyait Angel innocent, elle ne pouvait se permettre de laisser cette boue éclabousser Tyler. C'était un type sympathique. Il était têtu, obstiné, mais il dégageait un tel sex-appeal…

Seigneur ! Elle était bel et bien en train de tomber amoureuse.

Oh ! Pourquoi l'avait-il embrassée ?

Qu'il aille au diable ! songea-t-elle en appuyant rageusement sur l'accélérateur. Cela n'avait fait qu'accroître son sentiment de solitude. Ne savait-elle pas pourtant que si elle voulait préserver sa vie privée des équipes de télévision, de Dan Jacobs et de la presse à scandale, elle devait à tout prix se tenir à distance de Tyler McKay ? Il était bien trop susceptible d'attirer l'attention des médias.

Il mettait son anonymat en péril, et pourtant elle mourait d'envie de lui ouvrir la porte de son cœur. C'était bien là le plus alarmant !

Tyler laissa tomber son stylo et, s'accoudant à son bureau, se prit la tête entre les mains.

Si au bout de deux jours la bosse sur son crâne avait disparu, l'endroit restait sensible, lui rappelant Lane et son baiser.

Sapristi ! Il n'avait pas besoin de ça pour se souvenir de la bouche de Lane Douglas sous la sienne. Sensuelle, pulpeuse… vivante. Rien que d'y penser, il sentait ses muscles se contracter, son sang bouillonner.

Avec un gémissement, il s'adossa dans son fauteuil de cuir, le tournant vers la fenêtre.

Mais rien, pas même la vue spectaculaire, ne distrayait ses pensées de Lane. Il était tiraillé entre son envie de la revoir et son désir de garder ses distances. Un simple baiser, et il avait senti que sous ces ternes vêtements se cachait une tigresse. Et depuis, la tentation de se prouver qu'il pouvait la libérer le taraudait.

Pourtant, elle ne voulait pas qu'il l'approche. Dès leur première rencontre elle s'était montrée plus que réservée à son égard, lui signifiant clairement qu'elle ne souhaitait qu'une chose : être laissée en paix.

Pourquoi diable y tenait-elle tellement ?

Cela l'intriguait. C'était la première fois qu'il rencontrait une femme pour laquelle passer inaperçue semblait si important. Comme elle était différente de son ex-fiancée, Clarice, qui, chaque fois qu'elle entrait dans une pièce, faisait en sorte que tout le monde la remarque ! Depuis deux ans, il ne cessait de se demander ce qui avait bien pu le pousser à demander Clarice en mariage. Certes, elle était belle, racée, venait d'un bon milieu, et il avait vraiment cru l'aimer. Mais qu'elle lui ait menti sur ses propres sentiments l'avait profondément blessé. Son amour pour elle n'avait pas tardé à s'éteindre, mais la douleur avait persisté. Il ne s'était pas remis de cette humiliation : tous ses projets avaient été fondés sur les manipulations sentimentales d'une femme uniquement intéressée par son nom et par l'argent de sa famille. Rien ne pouvait lui être plus intolérable.

Il chassa ce souvenir, et la pensée de Lane lui revint immédiatement à la mémoire.

Elle, par contre, se fichait bien de son nom et de sa fortune ! Elle ne voulait même pas qu'il lui fasse réparer sa voiture. C'était là peut-être que résidait son attrait : plus une femme se fait désirer, plus elle stimule l'intérêt d'un homme. Ce constat lui arracha un sourire.

Mais s'il parvenait à la séduire, que se passerait-il ensuite ? Après l'avoir aimée, il la quitterait — en gentleman, bien sûr ! Cela signifiait-il qu'il n'était intéressé que par les relations superficielles avec les femmes ? Quelques cocktails et un zeste de sexe… « Décidément, je me dégoûte », songea-t-il en toisant son reflet dans la vitre.

Son instinct lui soufflait de laisser tranquille Lane Douglas, de prendre ses jambes à son cou et de s'enfuir dans la direction opposée.

Ce serait le plus sage. Il ne fallait pas qu'il s'illusionne, son intérêt pour cette fille si difficile à cerner allait croissant, mettant en danger sa chère liberté. Mais peut-être qu'il pouvait laisser les sentiments en dehors de tout ça et simplement sortir avec elle ? Ne savait-il pas que, quelle que soit la direction que les choses prendraient, il n'était pas à la recherche d'une Mme McKay ?

Bon sang, depuis quand était-il devenu si arrogant ? Alors qu'elle supportait à peine sa présence, il était en train de se demander si elle cherchait le mariage ! Et pourquoi les choses devraient-elles aller jusque-là ? Surtout si elle ne souhaitait pas envisager une relation avec lui…

Malgré la petite voix intérieure qui lui soufflait : « Méfie-toi », Tyler fit pivoter son fauteuil et annonça dans son Interphone :

— Martha, je vais déjeuner.

— Bien, monsieur… Vraiment, monsieur ? reprit la secrétaire après un temps d'hésitation.

— Oui, vraiment, sourit-il.

Sa surprise était compréhensible : ces derniers temps, à part pour des réunions, il quittait rarement le bureau.

— Dois-je prendre une réservation ?

— Non, je vous remercie. Mais quel est ce restaurant dont ma mère et vous parlez tout le temps ? Le « Quelque chose cassé ».

— Oh, vous voulez dire Le Crabe fêlé, répondit vivement Martha. J'ai un menu, si vous souhaitez que je commande des plats à l'avance.

— Parfait ! approuva-t-il en jetant un coup d'œil à sa montre.

Puisque Lane ne voulait pas baisser sa garde, il lui réservait une petite surprise.

La clochette tinta au-dessus de la porte de la librairie, et Lane leva les yeux.

Zut, Tyler. Décidément, il était à se pâmer, constata-t-elle, tous ses sens en alerte. Quelle élégance, dans ce costume ! Et sa proximité ne lui réussissait pas.

— Le magasin est fermé pendant une heure, déclara-t-elle vertement.

— Je sais.

Il s'approcha du comptoir et s'arrêta, les yeux fixés sur elle. Lane sentit son cœur s'affoler dans sa poitrine.

— Que venez-vous faire ici ? demanda-t-elle.

— Vous proposer de déjeuner.

— Vous auriez dû téléphoner, j'ai déjà des projets.

— Avec qui ? demanda-t-il en fronçant les sourcils.

« Avec mon chat et ma paperasse », répondit-elle *in petto*.

— Cela ne vous regarde en rien, Tyler.

— Après ce baiser, j'estime que si, au contraire.

— Ah, vraiment ? siffla-t-elle entre ses dents. Eh bien, vous vous trompez. Ce n'est pas un baiser qui vous donne le droit de venir fourrer votre nez dans mes affaires, et je n'ai pas le temps d'aller déjeuner. J'ai fermé le magasin parce que j'ai besoin de rattraper du retard dans mes papiers, conclut-elle en réunissant quelques feuilles pour se justifier.

— Ou pour vous cacher ? insinua-t-il, lui faisant lever les yeux.

— Je ne me cache pas !

— Ma petite dame, l'autre soir vous avez filé aussi vite qu'une souris poursuivie par un chat, et vous le savez aussi bien que moi.

— Je suis partie, tout simplement.

— Oui, comme si vous deviez courir un cent mètres. Je vous fais peur ? s'enquit-il en se penchant sur le comptoir.

— Non, c'est de moi-même que j'ai peur.

Il fronça les sourcils.

— Je ne veux pas faire partie de votre vie, expliqua-t-elle. Vous avez une certaine réputation, vous savez.

Il fronça encore les sourcils.

— Hé ! Je suis un type sympa, protesta-t-il, sur la défensive. Demandez à qui vous voudrez !

Il était vraiment adorable quand il essayait de se justifier. Et zut !

— Ce ne sera pas nécessaire, j'ai entendu parler de vous : vous ne restez pas avec une femme plus d'un mois ou deux. Et franchement, après ce baiser, je ne me sens pas prête à être le nouveau trophée à votre tableau de chasse.

Et voilà ! La parfaite excuse pour se débarrasser de lui.

C'était le plus raisonnable. Certes, elle n'avait jamais vraiment cru aux rumeurs qui faisaient de lui un don Juan. Un homme qui aimait s'amuser n'était pas pour autant immoral ni malhonnête, et le respect qu'il témoignait à sa mère en disait long sur son compte. Mais cela faisait deux jours qu'elle ne trouvait pas d'autre argument.

C'était la meilleure façon de le décourager… Même si tout ce qu'elle aurait voulu, dans le fond, c'était se fondre au creux de ses bras comme dans une seconde peau !

A cette pensée, elle sentit des flammes courir dans ses veines et baissa les yeux sur ses papiers.

— Ainsi, j'ai si mauvaise réputation ?

— La pire, précisa-t-elle avec un petit sourire intérieur.

Quel mensonge !

— Alors, acceptez de sortir avec moi, et changeons-la.

— Non !

— Déjeunons, alors ?

— Je dois travailler.

— Dommage. Je suis passé au Crabe fêlé.

Levant vivement la tête, elle le vit déposer un panier-repas sur le comptoir.

Son restaurant préféré ! Depuis sa première rencontre avec la propriétaire, Nalla Campanelli, elles étaient les meilleures amies du monde. Peut-être était-ce dû à leurs origines communes, à la fois italiennes et irlandaises ? Elle faisait régulièrement office de cobaye pour les créations culinaires de Nalla.

— Qu'avez-vous apporté ? demanda-t-elle, intéressée, en regardant le panier.

Tyler dissimula mal un sourire de victoire.

— Sur les conseils de Nalla qui m'a dit que c'était votre plat préféré, une salade thaïlandaise au crabe !

Lane marqua un temps d'hésitation. C'était la vérité.

— Avec les petits crackers au poivre ?

— Je crois que oui, répondit Tyler, hilare. Ecoutez, si vous n'en voulez pas, ce n'est pas grave, je remporte ça au bureau, prétendit-il en faisant mine de reprendre le panier.

Elle le retint par le bras.

— Non ! Vous êtes vraiment un malin, vous, constata-t-elle en croisant son regard.

— Je sais, dit Tyler modestement.

Il lui décocha un nouveau sourire ravageur et se dirigea vers le coin café.

Tandis qu'il approchait une table et deux chaises, elle prit des assiettes et des couverts derrière le bar. Puis, ignorant les chaises, elle s'agenouilla sur le tapis et repoussa le torchon décoré de petits crabes qui recouvrait le panier. Immédiatement, l'eau lui monta à la bouche.

— Nalla est la meilleure !

— Oui, c'est ce que j'ai entendu dire, et Martha pense de même.

— Qui est Martha ? demanda Lane, voulant ignorer la pincée de jalousie qu'elle ressentait soudain.

— Ma secrétaire.

— On dit assistante de direction aujourd'hui, vous savez.

— Pas elle. Elle était déjà là à l'époque de mon père. Elle a soixante-trois ans, des chaussures confortables avec des semelles qui grincent, et elle pratique encore la sténo.

— Je parie qu'en plus elle est d'une efficacité à toute épreuve, devina Lane en ouvrant les récipients et en remplissant les assiettes.

— Elle organise pratiquement toute ma vie.

Après avoir retiré sa veste, il s'assit et admira les gestes gracieux et précis avec lesquels elle officiait.

Cela ravivait en lui le souvenir de leur baiser éperdu. A la pensée de l'embrasser de nouveau, de la sentir plaquée de tout son long contre son corps, ses mains se mirent à trembler.

Après lui avoir tendu une assiettée de salade, elle attaqua ce qui se trouvait dans la sienne.

— Où habitez-vous ? demanda-t-il alors.

Lane leva sa fourchette en l'air pour indiquer qu'elle vivait au-dessus du magasin.

— Cela ne doit pas être bien grand.

— Non. Mais je n'ai pas besoin de beaucoup d'espace.

— Je comprends parfaitement. Chez moi, je tourne en rond comme un chien perdu pour trouver un endroit où me poser.

Elle s'immobilisa, sa fourchette à mi-chemin de ses lèvres. « Expliquez-vous », disait son regard.

— C'est comme si je n'y vivais pas, comme si j'étais en visite.

— Vous ne vous sentez pas encore chez vous, mais ça viendra.

— C'est là que j'ai toutes mes affaires, répondit-il avec un haussement d'épaules.

— Peut-être devriez-vous engager un décorateur pour créer l'ambiance que vous recherchez.

Elle n'allait certainement pas lui dire que c'était l'amour, la famille qui créait une ambiance. C'était apparemment le dernier des sujets à aborder avec Lane.

— A la pensée d'avoir affaire à un décorateur, j'ai la chair de poule. Par contre, si vous vouliez m'aider…

Il se glissa sur le sol auprès d'elle, mais elle lui lança un regard distant et recula un peu.

— Demandez à votre mère de vous aider.

— Hé ! Je veux que ça ressemble à chez moi, pas à la maison de mes parents !

— Vous avez raison.

Lane avala une autre bouchée de crabe et se renfrogna. Décidément, le sujet était miné.

— Pourquoi les livres ? demanda Tyler que son air triste laissait songeur.

— Pourquoi la construction ?

— Oh oh ! la taquina-t-il en agitant un doigt dans sa direction, quelle pugnacité ! Pour moi, il s'agit d'une affaire de famille.

— Souhaitiez-vous la reprendre ?

— Je n'ai connu que ça, répondit-il avec un haussement d'épaules. Quand mon père nous a entraînés dans la construction, mes frères et moi, nous sortions à peine de l'adolescence. Le fait que l'on puisse faire tourner une affaire à partir d'un tas de planches et de clous m'a tout de suite fasciné.

— Assez pour en faire une société de renommée régionale, ajouta-t-elle.

Un signal d'alarme résonna en lui et, alors qu'elle se penchait sur le panier, il fixa le petit chignon qui ornait le sommet de son crâne :

— Vous vous êtes renseignée sur moi ?

— Je lis les journaux, McKay, répliqua-t-elle en attrapant le paquet de crackers.

Assise en tailleur à même le sol, sa jupe marine recouvrant ses jambes et ses affreuses chaussures, elle se mit à dévorer un cracker couvert de crabe. Comme il était agréable de constater que, contrairement à la plupart de ses ex, les excès de calories semblaient la laisser indifférente ! Mais à quoi bon la comparer aux autres ? Cette femme était vraiment unique.

Il se secoua. Il était tellement occupé à la regarder qu'il en oubliait de déjeuner.

— Ce que je préfère dans les créations de Nalla, c'est qu'elles changent au gré de ses humeurs, reprit-elle.

— Pourriez-vous me dire ce qui, sur cette terre, n'est pas influencé par les humeurs des femmes ? gloussa-t-il.

Elle leva des yeux écarquillés vers lui et parut réfléchir un instant :

— Le foot ?

Il sourit et se décida enfin à goûter les plats. Délicieux !

— J'adore manger, surtout si c'est quelqu'un d'autre qui a cuisiné, admit Lane.

— Vous cuisinez ?

— Et vous, vous établissez un bilan de mes compétences ?

— Lane, vous déciderez-vous un jour à répondre directement à une question ?

— Pas si je peux l'éviter. Ainsi, le mystère s'épaissit.

— Vous êtes bien assez mystérieuse comme ça, croyez-moi !

— Je vais donc vous épargner mon numéro de Mata Hari auquel aucun homme ne peut résister. Comme vous pouvez d'ailleurs le constater, je n'ai qu'à choisir parmi cette foule d'admirateurs ! conclut-elle en balayant le magasin vide de la main.

Son sourire exprimait une telle sincérité que Tyler se raidit.

— Alors ? reprit-il.

— Alors quoi ?

— Vous cuisinez ?

— Oui, enfin rarement. Ce n'est pas tellement amusant si c'est juste pour moi.

— Et vous êtes bonne cuisinière ?

— Pas mauvaise. Etes-vous en train d'essayer de vous faire inviter à dîner ? s'enquit-elle, sourcils froncés.

— Pourquoi pas ? Vous êtes bien en train de déjeuner avec moi.

— C'est la salade thaïlandaise au crabe qui m'a décidée. Et c'est vous qui m'avez invitée. Pas moi.

— Je me sens insulté ! s'exclama-t-il en battant des paupières.

— Inutile, Tyler. J'insiste, je ne veux pas d'une relation avec vous. Vous êtes le plus beau parti de la ville, le célibataire le plus connu des environs, et la seule raison pour laquelle vous me courez après, c'est que je suis immunisée contre le charme McKay.

Et ce baiser, qu'en faisait-elle ?

— Vous n'étiez pas immunisée, l'autre soir, sous ma véranda.

— Je vous ai embrassé par… pitié, répliqua-t-elle avec un petit rire grêle.

Quel mensonge ! Quand elle l'avait quasiment supplié de continuer !

Il se mit à rire d'un rire de gorge et lui prit le cracker qu'elle s'apprêtait à porter à sa bouche.

— Si c'était par simple pitié, je veux savoir à quoi ressemblerait votre baiser si vous en aviez vraiment envie.

Il ne fit qu'une bouchée du cracker puis, se penchant vers elle, il inclina la tête.

— Votre haleine sent le crabe, fit-elle en se reculant.

— La vôtre aussi.

— Arrêtez ça, je vous en prie ! implora-t-elle en posant ses doigts sur sa bouche.

Il la regarda.

Bon sang, elle ne plaisantait pas, même son regard était triste ! C'était vrai, fidèle à sa réputation, il était en train de se comporter en play-boy et s'apprêtait à détruire ce qui pourrait être une excellente relation amicale.

— Contentons-nous d'être amis, dit-elle en retirant sa main.

— Rien de mieux pour tuer la passion, observa-t-il, dépité, en se remettant à manger.

Décidément, il ne pouvait pas croire que sa pseudo-réputation était la raison de son refus. Et même s'il l'acceptait, il n'avait pas dit son dernier mot.

— Où étiez-vous hier soir ? s'enquit-il, changeant complètement de sujet. Tout le monde travaillait sur le spectacle des enfants.

— J'ai fini ma partie.

Il la regarda, perplexe.

— Je suis revenue le lendemain soir pour terminer, expliqua-t-elle. Les costumes sont dans les vestiaires, étiquetés aux noms des acteurs.

— Vous êtes donc en train de me dire que vous en avez fini avec vos travaux d'intérêt public ?

— Oui, répondit Lane, les yeux baissés.

Elle ne le vit pas se pencher vers elle, et sursauta en rencontrant son regard tout proche.

— Si vous croyez que je vais vous laisser en paix maintenant, gronda-t-il, vous vous trompez. Vous vous trompez complètement.

Il vit passer dans ses yeux un sentiment de pure panique, suivi de quelque chose de tout à fait différent.

5.

Tyler devenait un vrai pot de colle. Depuis deux jours, il surgissait aux endroits les plus inattendus : le drugstore, le restaurant de Nalla… Si seulement Lane avait pu mettre ses apparitions soudaines sur le compte de son envie de la voir ! Mais, inutile de se leurrer, il cherchait surtout à la convaincre de prendre part au festival. Cette fois-ci, il l'avait surprise au rayon fruits et légumes du supermarché, et il avait amené du renfort : le directeur de l'association des commerçants de la ville, son frère Kyle en personne.

— Pour une surprise ! s'exclama-t-il.

— Là, messieurs, je commence à éprouver un sentiment de persécution ! annonça-t-elle, son regard allant de l'un à l'autre des deux frères.

Tous deux rougirent, gênés, chacun tenant sans doute l'autre pour responsable de sa réaction. Elle pouvait parfaitement les imaginer, gamins, en train de se chamailler : « C'est lui qui a commencé ! Non, c'est lui ! »

— Lane, vous êtes la seule commerçante de la rue principale à ne pas participer au festival d'hiver, observa Kyle. Bien sûr, ce n'est pas une obligation, mais votre réserve risque de vous isoler plus que vous ne le souhaiteriez.

— Bien, fit Lane avec un regard patient. Vous avez gagné, je prendrai part au festival.

Elle savait se rendre. Cela lui était arrivé plus d'une fois depuis deux ans, et elle était bien placée pour reconnaître une bataille perdue d'avance. Non qu'elle soit en train de se battre avec Tyler... En fait, la relation qu'ils entretenaient lui échappait. Mais si elle renonçait à tout essayer pour le faire disparaître de sa vie, il finirait peut-être par se considérer comme vainqueur et irait prodiguer ses attentions à quelqu'un d'autre.

Une douleur subite lui transperça la poitrine. Elle n'arrivait pas à imaginer Tyler en train d'enlacer une autre femme. Encore un avertissement : elle était décidément en train de tomber amoureuse de cet homme. Comme si elle avait besoin d'être mise en garde ! La façon dont ce baiser l'avait bouleversée suffisait amplement. Sa simple présence faisait courir des flammes dans ses veines.

— Parfait ! Je suis heureux que vous acceptiez de participer, Lane, fit Kyle d'une voix chaleureuse, appuyée d'un sourire sexy.

Bonté divine ! Une fille n'avait pas l'ombre d'une chance avec ces deux-là.

— Pour être honnête, Nalla Campanelli m'a déjà convaincue.

Le regard de Kyle s'assombrit soudain, tandis que Tyler s'éclaircissait légèrement la gorge.

Tiens, tiens ! songea Lane. Y aurait-il anguille sous roche entre son amie et le cadet des frères McKay ? Intéressant. L'histoire devait déjà dater et ne pas avoir évolué dans le bon sens : Nalla n'avait strictement jamais fait allusion à Kyle McKay. De toute façon, elle ne posait jamais de questions personnelles. Ne détestait-elle pas par-dessus tout que l'on fouille dans son propre passé ? De plus, Nalla étant la seule

74

personne dans cette ville à connaître sa véritable identité, il valait sans doute mieux qu'elle ne soit pas trop proche d'un McKay.

— Je ne vois toujours pas ce qu'une librairie peut apporter à un festival de rue.

— Vous oubliez vos cappuccinos. S'il continue à faire froid, vous ferez un tabac.

Froid ? Pour les gens des Etats du Nord, il ne faisait pas vraiment froid dans le Vieux Sud, même en décembre. Mais ce n'était pas le climat qui l'avait attirée à Bradford. Non, c'était le charme désuet de la ville, son rythme tranquille, en bref, le fait que Dan Jacobs n'avait aucune raison de la rechercher dans un endroit aussi retiré. Et tout avait été parfait... jusqu'à sa rencontre avec Tyler.

Levant alors les yeux, elle croisa le regard de celui-ci. Son silence semblait l'inquiéter.

— J'étais en train de penser qu'il va me falloir de l'aide, expliqua-t-elle. Je ne peux pas tenir à la fois mon magasin et un stand au festival.

Ce à quoi Tyler s'empressa de répondre.

— Peggy, la benjamine de Diana Ashbury, qui est à l'université, cherche des jobs temporaires.

— On dirait que vous avez pensé à tout, constata-t-elle.

— J'essaye, répondit-il, sans paraître le moins du monde honteux de la manipuler de la sorte.

Après avoir lancé un coup d'œil étrange à son frère, Kyle la salua et quitta les lieux, les laissant, Tyler et elle, en tête à tête.

— Pourquoi diable montrez-vous une telle insistance ? demanda-t-elle d'une voix égale.

— C'est bon pour les affaires.

Même si c'était vrai, c'était une bien piètre excuse, décida-t-elle.

Elle s'éloigna de lui, remplit quelques sachets de fruits et de légumes et, poussant son chariot, s'engagea dans l'allée centrale. Tyler lui avait emboîté le pas et souriait à la ronde. Sapristi, il en connaissait du monde ! Les commérages sur leur compte iraient bon train.

— Nous sommes au beau milieu de la semaine, constata-t-elle. Vous arrive-t-il parfois de travailler pour gagner votre vie ?

— C'est moi le patron, c'est donc moi qui décide de mes horaires, répondit-il d'un air réjoui.

Elle roula des yeux. Qui diable pouvait résister à ce sourire ?

— Pourquoi vous intéressez-vous autant à mes affaires ?

— Erreur, c'est à vous que je m'intéresse.

Elle s'arrêta et, fouillant son regard, constata :

— Vous ne me connaissez même pas, Tyler.

— J'essaye d'y remédier, mais vous ne vous montrez pas très coopérative.

— Vous refusez de comprendre.

— Je ne suis pas très réceptif, c'est de nature.

Elle eut un petit rire amer et se mit à sélectionner ses articles à toute vitesse. Elle devait sortir d'ici, s'éloigner de Tyler ou, tout au moins, du public.

— Vous allez vraiment manger ça ? demanda-t-il, surpris.

Elle regarda le bocal d'anchois qu'elle avait dans la main et, hochant la tête, le reposa.

— Je vous rends nerveuse ? chuchota-t-il alors, se rapprochant d'elle.

— Non. Oui. Non, décida-t-elle, énervée. Je ne sais plus où j'en suis, c'est tout.

— Comment ça ? demanda-t-il, son sourire évanoui.

— Je ne sais pas quel est votre problème. Vous persistez à surgir à l'improviste, à vous imposer dans ma vie. Est-ce que vous vous intéressez vraiment à moi, ou est-ce juste parce que je vous résiste ?

— Je pensais que vous commenciez à me connaître mieux que ça.

— Je ne connais rien de vous.

Sauf qu'il était beau, obstiné et qu'il embrassait divinement bien. Le souvenir de son baiser raviva en elle des sensations brûlantes, et elle se hâta de choisir d'autres articles dans le rayon. Il était temps qu'elle s'en aille, elle allait finir par lui sauter dessus au beau milieu de l'épicerie.

— Encore une fois, nous pouvons y remédier.

Elle le regarda.

— Pour l'amour du ciel ! J'ai l'impression de parler à un mur.

— Donnez-moi une seule raison pour laquelle vous ne voulez pas me voir.

« Parce que je vous désire trop », songea-t-elle avant de refouler vivement cette idée.

— Je ne suis pas à la recherche d'une relation et, comme je vous l'ai déjà dit, votre réputation de don Juan est déplorable.

— Ce n'est pas une raison valable.

— Vraiment ? Regardez un peu autour de vous. Ne voyez-vous pas l'intérêt que nous suscitons ?

Il s'exécuta et hocha la tête.

— Vous savez, c'est Clochemerle, ici.

— C'est exactement ce que je veux dire. Vous avez peut-être le nom et l'énergie pour ignorer les commérages et tout ce qui va avec, mais pas moi.

— Vous refusez de me fréquenter parce que je suis un McKay ? demanda-t-il en reculant d'un pas.

C'était une première pour lui, indubitablement !

— Ma famille et moi sommes deux entités différentes, Lane, reprit Tyler, les yeux plissés. Mais elle fait partie du lot. Je ne puis ignorer ce dont je suis issu.

— Je ne peux pas l'ignorer non plus.

Il se pencha plus près, ses mains se refermant sur les siennes sur la barre du chariot. Dans son regard brûlait une lueur inconnue. A l'homme léger et charmant s'était substitué un Tyler plein de fougue.

— Je ne connais pas celui qui vous a fait tellement souffrir qu'à la simple idée d'être avec moi vous soyez terrifiée, grogna-t-il d'une voix sourde, mais j'aimerais pouvoir mettre mon poing dans la figure à ce salaud.

Elle ouvrit de grands yeux. C'est alors que, sans crier gare, il l'embrassa.

Ce n'était pas le genre de petit bisou amical qu'on se permet en public, mais un baiser empreint d'une telle sensualité qu'elle en resta pantelante. Les clients les regardaient bouche bée, certains hilares. Mais elle les voyait à peine. Elle n'avait conscience que de Tyler à quelques centimètres d'elle, et du tourbillon d'émotions qui la dévastait.

— Je voulais simplement vous signaler, chérie, que je n'ai nullement l'intention de continuer à payer pour lui, dit-il.

Sur ces mots, il fit volte-face et s'en alla, la laissant éperdue, en tête à tête avec les côtes de porc et les poulets.

Une fois de plus, elle ne savait plus du tout si elle devait se réjouir ou s'inquiéter.

Tyler fit claquer sa portière en lançant un regard noir vers le magasin.

Qu'est-ce qui pouvait bien le pousser à attendre quoi que ce soit d'une femme qui ne souhaitait qu'une chose, qu'il aille au diable ? Il faisait son possible pour avancer à pas de velours, usait de son charme pour gagner ses bonnes grâces. Or, c'était un véritable fiasco.

Un homme avait fait souffrir Lane. S'il ne voulait pas réparer les dégâts causés par un autre, il devait se retirer du jeu… Mais il avait déjà essayé de garder ses distances avec elle et n'avait pas tenu plus de quarante-huit heures, songea-t-il en mettant le contact de la voiture de location.

Que n'aurait-il donné pour récupérer sa Jaguar, toujours au garage avec la voiture de Lane ! OK ! Une fois qu'il lui aurait récupéré sa voiture, il cesserait de la poursuivre. Après tout, il n'avait qu'à disparaître de sa vie si c'était vraiment ce qu'elle voulait.

Pourtant, il en doutait.

Lane Douglas avait quelque chose de spécial, et il devait admettre que l'idée de la conquérir petit à petit n'était pas pour lui déplaire. Elle finirait bien par lui avouer pourquoi elle s'obstinait à se protéger derrière tant de murs. Il ne souhaitait qu'une chose : les faire tomber l'un après l'autre.

Leurs baisers allaient bien au-delà du simple désir. Exigeants, passionnés, ils étaient empreints d'une ferveur qu'il n'avait pas éprouvée depuis bien longtemps. Etait-ce la raison pour laquelle il tenait tant à aller plus loin ?

Curieux. Depuis la trahison de Clarice, il s'était imposé des règles très strictes avec les femmes. Même si cela lui laissait souvent un arrière-goût de superficialité, il était toutefois suffisamment adulte pour admettre que cela lui convenait dans la pratique. Pourquoi, dans ce cas, attendre plus de Lane que ce que lui-même avait à donner ?

Jamais il n'avait eu autant de mal à séduire une femme. Le simple fait que cela ne le fasse pas renoncer, qu'il revienne inlassablement à la charge comme s'il avait été avide d'humiliation, était un message qu'il ne pouvait ignorer : pour être franc avec lui-même, il en avait assez de se protéger !

Le spectacle historique donna le coup d'envoi au festival d'hiver.

Lane assista avec plaisir à la pièce enfantine, souriant devant les petits soldats et les fées.

C'était adorable. Les enfants s'amusaient autant que le public, piquant des fous rires lorsqu'ils rataient une réplique, trébuchant parfois les uns sur les autres. Elle n'avait jamais connu une telle gaieté dans sa pension. Devant ces bambins, elle se sentit prise d'une nostalgie jusqu'alors inconnue. Aurait-elle des enfants un jour ? Saurait-elle se montrer une bonne mère ? Et quel homme aimerait-elle suffisamment pour qu'il lui donne envie d'avoir des enfants ?

Le visage de Tyler s'imposa à son esprit. Ah non ! Elle devait immédiatement chasser cette pensée. Inutile de rêver, songea-t-elle tristement, s'il connaissait la vérité, il ne lui pardonnerait jamais. Pour tout lui avouer, il faudrait qu'elle lui fasse confiance. Oui mais voilà, à l'exception de Nalla, elle ne faisait confiance à personne dans cette ville.

Pourtant, pour la première fois depuis deux ans, en voyant jouer les enfants dans les costumes qu'elle avait confectionnés, elle se sentait faire partie des habitants de Bradford. Elle aimait les gens, la compagnie des autres lui manquait. Beaucoup d'éléments de son ancienne vie lui manquaient, d'ailleurs.

Dans son ancien métier, elle avait été entourée d'acheteurs de mode, de stylistes, de mannequins, de journalistes, de photographes, et sa propre famille était nombreuse et bruyante. Bien sûr, comme tout son entourage, elle fréquentait les soirées mondaines, mais les fêtes de fin d'année se déroulaient en famille : des repas copieux, des échanges de cadeaux, des traditions…

Ces huit dernières années, ces moments s'étaient faits rares, car ils ne se réunissaient plus beaucoup. Elle avait passé son adolescence entre l'appartement de sa mère à New York et la maison de ses grands-parents paternels en Toscane, le siège des vignobles Romano. Il y avait longtemps qu'elle n'avait pas eu de « chez elle » avant Bradford. Le jour où sa carrière avait volé en éclats, elle n'avait abandonné qu'une suite dans un hôtel parisien.

Bien que toujours légalement mariés, ses parents vivaient séparés, ce qui n'était pas une mauvaise chose, car ils étaient trop différents pour vivre sous le même toit. Elle acceptait le fait que sa mère soit un peu superficielle, qu'elle aime la vie nocturne, les voyages, et qu'elle préfère entretenir une image de mondaine plutôt que de mère de famille. Quant à son père, il s'occupait de ses vignobles comme d'une seconde nichée. Comme s'il n'avait pas assez de cinq enfants !

Soudain indifférente à ce qui se passait autour d'elle, elle laissa ses pensées l'entraîner vers Bastian Giovanni. Comme il lui manquait ! « Te rends-tu compte de ta chance, Elaina, lui répétait-il. Qu'est-ce que la vie pourrait t'apporter de plus ? » Elle savait pourtant que l'on pouvait attendre plus de la vie. Elle l'avait compris lorsqu'elle était avec Dan, même si cette relation n'avait été que pur mensonge : elle s'était investie de tout son cœur, ils étaient devenus amants, et pendant un an ça avait été merveilleux. Jusqu'à la révélation de sa trahison.

Pourtant, un certain homme brun au sourire irrésistible lui redonnait aujourd'hui envie de croire au bonheur…

Tout à ses pensées, Lane ne s'aperçut que tardivement que la pièce était finie : une foule de parents débordants de fierté envahissaient le parterre. Elle reçut sa part de compliments, et leur chaleur communicative la réjouit.

Une fois sortie du vieux théâtre, elle balaya du regard le quartier historique qui bordait le fleuve. Dans Bay Street, la rue principale, les drapeaux du festival dansaient au vent frais de la nuit. Les lumières de la scène que l'on avait dressée au bord de l'eau scintillaient comme celles d'un bateau au port.

C'était l'endroit où serait dressé son stand. Elle avait prévu de venir l'ouvrir avec la fille de Diane Ashbury, une étudiante de dix-neuf ans dont elle avait déjà testé l'efficacité à la librairie. Elle-même irait ensuite rejoindre le magasin, laissant Peggy gérer la foule. C'était une bonne chose de l'avoir engagée, se félicita-t-elle en prenant la direction de sa maison.

A peine avait-elle parcouru quelques dizaines de mètres qu'une voix la fit sursauter.

— Bonsoir.

— Tyler ! Je ne savais pas que vous étiez là.

— J'étais dans les coulisses, je m'occupais des décors.

Un millionnaire qui s'occupait de décors pour une pièce enfantine ! Elle sourit. Tyler était tellement différent des hommes avec lesquels elle sortait avant de venir vivre à Bradford. Malgré son argent, ses privilèges, il savait rester simple, ce qui ne faisait qu'ajouter à son charme. Il s'impliquait en tout, toujours prêt à aider, à se salir. Tiens, il avait même encore des taches de peinture sur les mains.

— Ce n'était pas tout à fait sec ? s'enquit-elle.

— C'est de la peinture bon marché, répondit-il en se frottant les mains. Je sais que je vais avoir l'air d'un collégien, mais puis-je vous raccompagner chez vous ?

Avec un sourire, elle enfonça ses mains dans ses poches.

— Naturellement !

Il lui emboîta le pas, et pendant un moment ils marchèrent en silence.

— Je vous ai vue courir sur la plage l'autre soir, finit-il par dire.

— Une femme se doit d'entretenir sa ligne.

— Qui s'en douterait, sous tous ces vêtements ?

— Pardon ? fit-elle en lui décochant un regard indigné.

— Je vous ai vue en caleçon et T-shirt, Lane, insista-t-il, ponctuant sa phrase d'un petit sifflement.

— Oh, je vous en prie ! Il faisait trop noir pour y voir quoi que ce soit.

N'était-ce pas justement la raison pour laquelle elle faisait son jogging à la nuit tombée ? Il le savait parfaitement, d'ailleurs, mais il adorait la taquiner.

— Je suis un homme, Lane. J'ai un radar en ce qui concerne les jolies femmes… Et aussi des jumelles, reprit-il après une pause.

Elle pouffa.

Tyler sourit, l'observa comme si elle représentait à ses yeux une curiosité de la nature, et déclara tout net :

— Vous n'êtes pas celle que vous voulez paraître.

— Que voulez-vous dire par là ? rétorqua-t-elle, aussitôt sur la défensive.

— Vos baisers, pour commencer.

— Vous les comptez ?

— Ma foi, j'espère atteindre un multiple de deux. Six ou huit, par exemple.

Elle se mit à rire de nouveau et, lorsqu'il lui prit la main, ne la retira pas :

— Vous êtes incroyable, constata-t-elle.

— Incroyablement beau ? C'est également l'avis de ma mère.

— Incroyablement têtu et persévérant. En plus, vous êtes un incurable rêveur.

— Puisque vous m'avez épargné « arrogant », « laid » et « odieux », je considère que vous commencez à m'apprécier, répondit-il en serrant légèrement sa main, tout en continuant d'avancer. Ce n'est pas une mauvaise chose d'être un rêveur. Vous ne faites pas de rêves, vous ?

— Bien sûr que si…

« Je rêve d'une vraie vie », ajouta-t-elle pour elle-même avec un haussement d'épaules. D'où diable lui venait cette pensée ?

— … mais j'ai déjà tout ce que je peux désirer, conclut-elle tout haut avec aplomb.

Pourquoi alors la solitude lui pesait-elle soudain autant ?

Pas question toutefois de tenir Tyler pour responsable de son sentiment d'insatisfaction. Cela la prenait de temps à autre, et cette fois encore elle s'en sortirait comme à son habitude, en l'ignorant ! Mais l'envie de vouloir quitter son anonymat était parfois telle que cela la mettait en colère.

— Est-ce que ce mur derrière lequel vous vous protégez fait partie de vos désirs ?

Elle lança à Tyler un regard noir et décida de lui retirer sa main.

Il la retint et s'arrêta au beau milieu du trottoir. Les grappes de mousse espagnole qui pendaient des branches des chênes au-dessus de leurs têtes se balançaient à la brise. Il la scruta dans la lumière du réverbère.

— Qui vous a fait souffrir, Lane ?

Elle détourna le regard. Que pouvait-elle répondre ?

— Ça n'a pas d'importance.

Il la prit par le menton, l'obligeant à le regarder.

— Pour moi, si.

Zut ! Elle le connaissait assez maintenant pour savoir qu'il en faudrait plus pour le décourager. Elle était prise au piège.

— D'accord. De toute façon, vous n'allez pas me laisser de répit. Oui, mon ex m'a trahie.

Il disait l'aimer, mais le soir où elle avait appris que sous le nom de Richard Damon, photographe, se cachait en réalité le journaliste Dan Jacobs, celui-ci avait déjà révélé dans leurs moindres détails ses confidences sur sa famille. Ses secrets les plus intimes avaient été exposés dans la presse, photos à l'appui…

— Comment ?

— Peu importe les détails. Je l'aimais, je lui faisais confiance, et il a trahi mes sentiments de la pire façon qui soit.

Et elle, en gardant ses secrets, n'était-elle pas en train de trahir Tyler ?

Mais elle avait des raisons, d'excellentes raisons : si sa vie était étalée dans la presse, lui aussi y laisserait des plumes ! C'était exactement ce qu'elle avait vécu à cause d'Angel.

Et puis, si elle avait aimé Dan, ce n'était pas de l'amour qu'elle éprouvait pour Tyler, ni réciproquement. Alors quelle importance ? Pourquoi ne pouvait-il pas simplement renoncer ?

Les yeux de Lane lançaient positivement des éclairs, observa tristement Tyler. Comme il aurait aimé l'entendre rire encore. La brise lui transmettait des effluves de son parfum musqué, légèrement citronné, qui contrastait avec son apparence : ses cheveux toujours serrés en un chignon strict, les lunettes rondes qui lui glissaient constamment sur le nez et qu'elle remontait d'un geste machinal. Etait-elle vraiment vieux jeu ? Etait-elle vraiment un rat de bibliothèque ? Elle n'aimait pas plus ressasser sa douleur que lui n'aimait l'entendre en parler. A cause de cette ordure qui l'avait fait souffrir, elle repoussait tout le monde. Nalla Campanelli était peut-être bien sa seule amie. Quel besoin avait-il de vouloir ainsi fouiller dans son passé ? Quelle indélicatesse de sa part !

— C'était un crétin, décréta-t-il avec conviction.

Elle leva les yeux vers lui.

— Sans doute suis-je moi-même une véritable idiote de lui avoir fait confiance.

— Ne vous blâmez pas. Il n'est pas donné à tout le monde de savoir accorder sa confiance, c'est une bénédiction. Quiconque trahit cette confiance n'a rien à faire dans votre vie. C'est ainsi qu'il faut voir les choses.

— Je pense parfois qu'il avait toujours eu l'intention de me trahir, soupira-t-elle. Ce qui, naturellement, fait de moi une parfaite imbécile. J'aurais dû m'en rendre compte dès le début.

Elle laissa échapper un nouveau soupir, libérant un peu de la tension dans ses épaules, mais n'ajouta rien.

Ils poursuivirent leur chemin.

Il ne lui avait pas demandé plus de détails, mais combien il aurait aimé pouvoir lire dans ses pensées ! Au moins avait-il une idée désormais de la raison pour laquelle elle se montrait si réservée, et tout particulièrement avec lui : chat échaudé craint l'eau froide. N'était-il pas bien placé pour le savoir ? C'était exactement pour la même raison qu'il se contentait de relations superficielles : il gardait ses distances avec les femmes pour ne plus souffrir. Une fois suffisait pour toute une vie.

Sans lui retirer sa main, elle s'appuyait légèrement contre lui. Il l'attira imperceptiblement plus près, comme un adolescent à son premier amour.

Et dire qu'il avait trente-quatre ans ! Pourtant il sentait son cœur cogner comme un fou dans sa poitrine et n'avait qu'une envie, se cacher dans un coin et l'embrasser.

— Nous sommes arrivés, dit-elle avec un sourire mi-figue mi-raisin.

Il fixa les yeux sur sa porte.

— Vous allez bien m'inviter à boire un café ou un dernier verre ?

Elle releva ses lunettes sur son nez.

— Je n'ai pas d'alcool. Quant au café, si tard, cela va vous empêcher de dormir.

— Oui ou non aurait suffi, Lane. Inutile de chercher des excuses.

— Et c'est maintenant que vous le dites ? Moi qui pensais qu'un simple « Bonne nuit, Tyler » n'aurait pas suffi à vous faire comprendre !

Elle remarqua son léger froncement de sourcils, malgré le sourire qui ne quittait pas son visage au-dessus d'elle.

— Vous êtes adorable.

— Ce sont les poussins et les petits lapins qui sont adorables, McKay.

— Vous n'êtes certes pas un petit lapin.

Il se pencha encore, les yeux plongés dans les siens, et elle le laissa faire. Tous ses sens étaient en alerte, mais elle les ignora. Une femme pouvait se noyer dans la profondeur de ce regard.

— C'était pour me voler un baiser que vous m'avez ramenée chez moi, n'est-ce pas ?

Il tira sur le col de sa veste.

— Oui.

— J'aurais dû mettre les points sur les i dès le départ, alors.

— Mettez les points sur les i maintenant, Lane, dit-il d'un air fripon.

— Vous êtes incroyable, McKay ! répondit-elle avec un sourire.

Elle repoussa une mèche folle de son front, se mit sur la pointe des pieds et… lui effleura les lèvres. Mais que diable lui arrivait-il ?

— Bon sang, je n'ai pas voulu, je n'aurais pas dû, bredouilla-t-elle.

Il agrippa les pans de sa veste et l'attira à lui.

— Vous auriez dû, vous auriez pu, vous..., marmonna-t-il, son dernier mot venant mourir en un souffle sur ses lèvres.

Sa langue lui caressa la bouche, s'insinuant entre ses lèvres offertes qu'il se mit à dévorer littéralement. Il l'embrassait avec une impétuosité sauvage, comme si sa vie en dépendait.

Sous ses assauts, elle sentit le désir qui couvait entre eux l'embraser. La tête lui tournait, son sang bouillonnait, et elle sombra dans la saveur délicieusement salée de cette bouche. Pressant son corps contre le sien, elle goûta l'excitation provoquée par ce baiser. C'était divin. Ses bras puissants se resserrèrent autour d'elle. Il allait avoir tout loisir d'apprécier les formes qu'elle cachait sous ses amples vêtements, mais qu'importe ! A cette minute précise, c'était bien le cadet de ses soucis. Tout ce qu'elle voulait, c'était que cela dure encore un peu, se créer des souvenirs pour ses nuits solitaires. Mais lorsque la main de Tyler glissa le long de son dos, pressant ses hanches contre les siennes, elle sentit sa tête se vider. Comment pourrait-il en être autrement, alors que tout son sang courait dans ses veines comme une lave ardente pour aller se loger au creux de son ventre, la faisant palpiter de toutes les fibres de son corps ? Et tandis que ses lèvres et sa langue jouaient avec les siennes avec une adresse exquise, elle scella sa bouche à la sienne et plongea ses doigts dans ses cheveux.

Oh oui ! Elle voulait le toucher, sentir son torse sous ses doigts, le voir nu. Elle allait l'entraîner au premier étage, et ce serait plus que pour un dernier verre !

Au moment précis où cette pensée lui traversait l'esprit, Tyler la relâcha, mettant un terme à son baiser. Elle tituba, se retenant à la balustrade pour éviter de glisser au sol.

— Je ne tiens pas à ce que l'on voie certaines choses dans

cette ville, dit-il haletant, en la fixant sous ses paupières alourdies de désir. A demain, Lane.

— Demain ? dit-elle d'une voix rauque, en essayant de retrouver son souffle.

— Oui. Je me suis porté volontaire pour assurer la sécurité, expliqua-t-il en descendant la rue à reculons, une main enfoncée dans la poche de sa veste tandis que l'autre jouait avec une moustache imaginaire. Et devinez où je serai posté ?

Le regard de Lane se porta sur la petite affiche collée sur le réverbère avant de revenir sur Tyler qui, déjà, s'évanouissait dans l'obscurité, la brise transportant son rire canaille.

Il serait juste en face de la librairie.

Seigneur ! Qu'avait-il compris de ses signaux contradictoires ? Qu'importe, après tout, elle savait que tous deux étaient exactement sur la même longueur d'onde.

6

La contrebasse de l'orchestre installé sur les berges du fleuve faisait pratiquement vibrer les rues, emplissant l'air de rythmes de standards de jazz et de musique country. Des effluves de gaufres, de pommes à la cannelle, de hot dogs et de barbe à papa flottaient dans la brise. Un mélange intéressant, à l'image de ce festival plutôt bruyant, songea Lane en sortant sous sa véranda.

Dans l'air frais de la nuit, une foule de gens dansaient dans les rues étroites de la vieille ville où la circulation avait été interdite. Des hommes équipés de brassards orange fluorescents assuraient la sécurité. Tyler en faisait partie. Il était drôle à voir, agitant sa torche avec entrain pour canaliser les visiteurs.

Non, il n'était pas « drôle », admit-elle, mais aussi viril qu'une réclame pour produits purement masculins : de la bière, des cigares, des outils électriques ou des camions. Seigneur ! Quand il était vêtu de son jean noir et de ce blouson d'aviateur en cuir si usé qu'il en était presque beige, elle se sentait comme des petits picotements au creux de l'estomac. Et dans son costume qui le faisait ressembler à James Bond, elle le trouvait à tomber... Alors quel effet lui produirait-il, entièrement nu ?

Elle aurait dû se dire « pas question », se rappeler qu'une relation avec un homme de la notoriété de Tyler était inenvisageable. Mais, laissant son esprit s'emballer, elle se prit à imaginer son corps dénudé.

Comme s'il avait senti son regard sur elle, il tourna la tête et lui lança un regard de côté. Son sourire s'évanouit et, même de cette distance, elle remarqua que son regard s'assombrissait. Il lisait dans ses pensées, songea-t-elle, les joues soudain en feu.

Un petit signal d'alarme résonna dans sa tête : elle était en train de s'engager sur un terrain dangereux. Pourtant, lorsqu'il lui fit signe d'approcher, elle descendit les marches dans sa direction.

— Bonsoir, dit-il doucement.

Elle leva les yeux vers lui. Les lumières de la fête allumaient des reflets dans ses cheveux bruns.

— Bonsoir, Tyler.

Son cœur battait à tout rompre. Pourquoi se sentait-elle soudain si vulnérable ? Elle n'était pourtant pas une petite femme frêle.

— Vous étiez là, l'année dernière ? demanda-t-il.

— Oui, mais je venais tout juste d'ouvrir la librairie. Je pense que la moitié de la ville ignorait jusqu'à son existence.

Du regard, elle balaya la foule : partout des couples dansaient le long de la rue.

— Dansez avec moi, suggéra Tyler sans crier gare.

La brusque tension de son corps ne lui échappa pas.

— Je dois retourner au magasin, répondit-elle.

— Affichez « fermé » dans la vitrine.

— Tyler, je tiens un commerce, expliqua-t-elle patiemment.

— Mais qui diable va venir vous acheter des livres ce soir ? s'insurgea-t-il en englobant d'un geste les stands, les danseurs, les lumières scintillantes.

Il avait raison.

— Je dois apporter des réserves à Peggy. Elle tient mon stand.

— Allons, vous avez toujours une excuse pour ne pas vous amuser, dit-il, dissimulant un sourire. Prenez-les donc et allons-y.

— Vous n'êtes pas en service ?

— Si, mais cela ne veut pas dire que je ne peux pas prendre un peu de bon temps. Allez, je vous attends.

Et il se retourna pour diriger un visiteur.

Lane se hâta vers son magasin. Quelques minutes plus tard, elle était de retour avec un carton de livres, une veste sur les épaules. Tyler fit un signe à son collègue posté un peu plus bas dans la rue, fourra son brassard dans sa poche et lui prit le carton des mains. Ils fendirent la foule pour, rapidement, rejoindre le stand dressé sous un chêne majestueux. Un jeune homme plutôt pas mal de sa personne tenait compagnie à Peggy, perché sur le muret en pierre sèche qui suivait la courbe du fleuve. Tyler le dévisagea avec froideur.

— Bonjour, Lane, bonjour, grand frère ! les salua Peggy.

— Grand frère ? répéta Lane en la regardant, étonnée.

— Je connais Peggy depuis qu'elle est née, expliqua Tyler avec un haussement d'épaules. Son frère Jace a mon âge

— Je vous présente Dean Parker, dit alors la jeune fille. Il est en dernière année à l'université de Caroline du Sud. Et je t'en prie, arrête de le regarder comme ça, enchaîna-t-elle à l'intention de Tyler qui l'ignora.

— Détendez-vous, je vous en prie, murmura Lane après avoir salué Dean, dont il finit par serrer aussi la main. Et si tu faisais une pause, suggéra-t-elle à Peggy. Je vais prendre la relève.

Après l'avoir remerciée, le couple s'éloigna main dans la main.

— N'allez pas trop loin, leur cria Tyler.

— Tyler ! Je vous en prie. Elle a dix-neuf ans, ce n'est plus une gamine.

— Et lui, c'est un jeune homme. Je sais parfaitement ce qu'ils ont derrière la tête, répliqua-t-il en les suivant d'un regard sévère.

— Maintenant qu'il vous a rencontré, je pense qu'il n'osera plus grand-chose. Vous l'avez terrorisé !

— C'est la première fois que je le vois.

— Et vous espionnez tout ce qu'elle fait ?

— Je vous l'ai dit, je la considère comme ma sœur.

— Si seulement mon frère m'avait protégée comme vous le faites… Mais Peggy et Dean fréquentent la même université et sortent ensemble depuis un an. C'est un étudiant sérieux, vous savez, il a même obtenu une bourse.

— Je l'ignorais. Comment le savez-vous ?

— Par elle. Contrairement à vous, je ne passe pas mon temps entre des dossiers et des réunions administratives, je m'intéresse à mon entourage.

— Je croyais que vous n'écoutiez pas les commérages ?

— Cela ne veut pas dire que je ne les entends pas.

Il soupira et, à son tour, s'installa sur le mur de pierre.

— Oui, j'ai travaillé comme un fou. Sauf ces derniers temps.

— Et vous allez mettre ça sur mon compte ?

— Eh bien, vous êtes un travail à vous toute seule.

— Vraiment ? dit-elle en faisant la moue.

Il lui sourit et, l'esprit vagabond, la regarda servir deux clients. Les lumières de la fête qui jouaient sur ses cheveux leur donnaient des reflets auburn, et dans le contre-jour il devinait ses longues jambes sous sa jupe. Il la revit courir sur le sable. Elle avait raison, dans l'obscurité il n'avait d'abord pas su que c'était elle. Mais lorsqu'elle avait remonté le chemin qui menait à la plage, il avait reconnu son port de reine. Nulle autre ne se tenait aussi droite. Elle n'entrait pas dans une pièce, elle glissait. Et il aurait parié son héritage que ces couches de vêtements et cette horrible coiffure cachaient beaucoup plus qu'elle n'accepterait jamais d'en dévoiler à personne. Or, il voulait savoir.

Il ne s'agissait pas là d'une simple attirance sexuelle. Bien sûr, elle était là aussi, tangible. Le souvenir de leur baiser ne le faisait-il pas encore tituber ? Pourtant, c'était sa vivacité d'esprit, son humour, qui le retenaient. Néanmoins, dès que l'on franchissait une certaine limite, une porte se fermait en elle.

Il voulait aller voir derrière cette porte.

— Comment s'appelle votre frère ?

— Angel, répondit-elle en lui lançant un regard surpris.

— C'est un drôle de nom pour un garçon.

— C'est un diminutif pour Angelo.

— Angelo Douglas ? Tiens, tiens !

— Et comment s'appellent vos frères et sœurs ? demanda-t-elle un peu trop vite.

— Nous somme quatre. Je suis l'aîné, ensuite viennent Reid, Kyle que vous connaissez, et enfin ma sœur Kate, qui est mariée avec deux enfants.

— Avez-vous terrorisé son mari comme vous l'avez fait avec Dean ?

— Une fois, je lui ai cassé la figure.

— Pardon ? s'exclama-t-elle en se retournant, les yeux écarquillés.

94

— Nous étions au lycée et il avait essayé de me piquer ma cavalière pour le bal de fin d'année.

— Oh ! dit Lane avec un petit sourire derrière lequel il devina une certaine tristesse.

— Vous avez d'autres frères et sœurs ?

— Richard, Mark et Sophie.

C'était, du moins, la version anglicisée de leurs noms. Elle aurait tellement voulu lui dire : « Je m'appelle Elaina, Elaina Honora Giovanni. »

Douglas était le nom de sa grand-mère, du côté irlandais de la famille.

Elle continua à servir ses clients puis passa le relais à Peggy et à Dean qui étaient revenus.

— Allez, venez, chien de garde, fit-elle à Tyler en le tirant par le bras.

Il jeta sa tasse en carton à la poubelle et, dans un mouvement souple, l'entraîna dans une petite danse.

— Tyler, mais que faites-vous ? demanda-t-elle, pas du tout dans le rythme.

Comme c'était embarrassant. Quel était ce pas ?

— Je danse le shag.

— Pardon ?

— C'est facile, vous allez voir. Si vous ne savez pas danser le shag, vous n'êtes pas vraiment du Vieux Sud.

Elle le voyait bien : autour d'eux, l'excitation montait, les rires fusaient. C'était contagieux.

— Allons, Lane, détendez-vous, vous êtes aussi raide qu'une planche.

— Merci, Fred Astaire.

Elle faisait vraiment de son mieux, mais ne réussit à maîtriser le pas que pendant l'air suivant. Et là, elle commença à s'amuser franchement. Son père répétait à ses frères que c'étaient les bons danseurs qui rentraient avec les filles. Tyler avait dû en raccompagner un bon nombre, car il dansait divinement.

Bientôt, le vide se fit autour d'eux. Il la fit tourner, exécuta à l'improviste quelques pas de samba. Qu'importait, après tout, puisque la foule s'était écartée et qu'il étaient les seuls à danser ! Sa tête tournait aussi vite que Tyler la faisait tourbillonner. Les gens chantaient en chœur avec les musiciens. Quelques flashes qui transperçaient la nuit la firent tressaillir, et elle rata un pas, mais lorsque Tyler l'attira tout contre lui, le reste du monde cessa d'exister.

Elle sentit son rire rouler en elle. Maintenant qu'elle avait attrapé le rythme, comme elle aurait voulu que cet air ne s'arrête jamais ! Un bal dans la rue, une nuit fraîche, un feu de bois… et elle était au paradis. La musique prit fin sous un tonnerre d'applaudissements, et Lane, haletante, posa sa tête contre la poitrine de son cavalier.

— Oh ! comme c'était amusant ! s'exclama-t-elle. Merci.

Avec un sourire, Tyler repoussa une mèche de sa joue.

— Cela faisait un moment que vous ne vous étiez pas laissée aller ainsi ?

— Oui, je suppose.

Elle avait presque oublié qu'elle pouvait s'abandonner de la sorte. Pendant trop longtemps elle s'était cachée, tenue sur ses gardes.

— Bon, je dois reprendre mon service jusqu'à minuit, je vous raccompagne ? A moins que vous ne vouliez rester là ?

— Non. Je vais avec vous.

Elle s'approcha de lui et il lui passa un bras autour des épaules. Pour une fois elle se laissa faire sans se raidir, mais fixa les yeux devant elle quand il la regarda de biais. Fendant la foule qui commençait à s'éparpiller, ils regagnèrent la librairie, et Tyler s'assit sur les marches de la véranda.

— Voulez-vous un autre café ? demanda-t-elle.

— Non, merci. Je suis encore trop énervé d'avoir dansé.

— Une bière, un verre de vin ?

Il baissa une casquette imaginaire.

— Je ne peux pas, madame, je suis en service.

Lane s'appuya alors contre la balustrade de la véranda, tout près lui.

— Merci, Tyler.

— De quoi ?

— D'avoir officiellement fait de moi une Belle du Vieux Sud.

— Il faudra toutefois que vous travailliez votre accent, fit-il valoir avec un clin d'œil. Nous pourrions recommencer au bal d'hiver, à la fin du festival.

Elle se referma soudain malgré elle.

— Merci pour l'invitation, mais je ne peux pas.

— Et pourquoi pas ?

— Un gentleman n'est pas censé demander à une dame la raison de son refus.

Il fit la grimace.

— Vous avez pris des cours de savoir-vivre, ou quoi ?

— Ma mère était très à cheval sur les principes.

— Eh bien, ce sont des idioties.

— Des idioties ?

— Oui, des balivernes sans fondement. Des idioties.

— Vous rendez-vous compte de la bêtise de ce que vous êtes en train de dire ?

— Je m'en fiche. Pourquoi ne voulez-vous pas venir au bal avec moi ?

— Si j'acceptais, les gens se feraient des idées.

— Et quel genre d'idées ?

Son visage s'empourpra dans l'obscurité, lui mettant le feu aux joues.

— Que nous sommes ensemble, répliqua-t-elle.

— Nous n'avons pas encore été vraiment ensemble… mais cela ne saurait tarder.

— Là, vous voyez ? C'est de là que vient votre mauvaise réputation, Tyler. Vous êtes trop présomptueux. Je ne coucherai pas avec vous.

— Je n'avais pas prévu de simplement coucher avec vous.

Lane sentit son corps s'embraser. Ses mots se déversaient en elle en un tourbillon de sensations qui se faufilaient sous sa peau pour venir se loger au creux de son ventre. A l'idée d'être allongée dans un grand lit avec lui, frémissant sous ses caresses, elle se sentait à la fois chaude et moite.

— Et si je ne voulais pas aller au bal d'hiver, tout simplement ?

— Eh bien, n'y allez pas.

— Alors, le sujet est clos.

— Pas question.

— Vous allez insister ?

— Jusqu'à ce que vous me donniez une raison valable d'arrêter.

— Je n'ai pas à le faire.

— Oh que si !

— Et pourquoi ? s'exclama-t-elle.

Il s'approcha pour n'être plus qu'à un souffle d'elle, sa jambe frôlant la sienne.

— Parce que cela fait presque deux ans que vous vivez dans cette ville et que, à part Nalla et quelques clients, vous n'y avez rencontré personne. Parce que toute la ville doit voir la femme avec laquelle je suis.

Tout en elle sembla se liquéfier

— De plus, le bal d'hiver est en quelque sorte le point d'orgue du festival : les femmes sont en robe de soirée, les hommes en smoking.

Et c'était justement la raison de ses réticences : l'endroit serait truffé de caméras, de journalistes.

— C'est une vraie soirée de conte de fées, une fête qui nous met tous dans l'humeur de Noël. Et étant membre du conseil municipal, je n'ai pas vraiment d'autre choix que d'y assister. Si vous ne m'accompagnez pas, je devrai y aller seul.

— Vous pouvez emmener quelqu'un d'autre.

— C'est ce que vous voulez ?

— Je m'en fiche.

Elle mentait, il devait le voir dans ses yeux.

— J'ai encore besoin de réfléchir, reprit-elle alors.

— D'accord, répondit-il en fronçant les sourcils. C'est déjà mieux qu'un non définitif.

— J'ai dit que j'allais réfléchir, je n'ai pas dit oui.

— C'est honnête, dit-il en levant une main.

Une fraction de seconde, il la regarda puis, prenant appui sur ses coudes, il étira ses longues jambes et parcourut la foule de ses yeux toujours vigilants.

— Vous savez, Lane, jamais je n'ai eu à faire autant d'efforts pour inviter une femme.

— Ça, je m'en doute !

Elle le regarda et sentit la force et la sérénité qu'il dégageait. Comme elle avait envie de caresser ses muscles, sa peau hâlée ! De sentir son corps nu bouger contre le sien, langoureux, voluptueux…

— Si, peut-être une fois. Mary Sue Sanford.

— Mary Sue ? répéta Lane qui cilla, distraite de sa rêverie.

— Oui, elle avait des nattes rousses. Elle ne voulait pas partager la balançoire avec moi.

— Vous n'avez visiblement pas de chance avec les rousses, pouffa Lane en lui donna un petit coup de coude. Vous êtes convaincu de toujours pouvoir obtenir ce que vous voulez ?

Il réfléchit un instant.

— Si ce n'était pas le pas, je n'essaierais même pas. Ma mère me compare à un fox-terrier : je ne renonce jamais. Autant que vous le sachiez.

— Bon sang ! s'exclama-t-elle en levant les yeux au ciel. Merci pour l'information. Je suis flattée, Tyler.

Il lui fit une grimace.

— Je me fiche bien de vous flatter, je veux que vous me cédiez.

Se rapprochant imperceptiblement, il se pencha vers elle. N'importe quel passant pouvait voir qu'il avait l'intention de l'embrasser.

— Et après ? demanda-t-elle sèchement.

Il s'immobilisa à mi-chemin de sa bouche.

— Après, quoi ?

— Après, que se passera-t-il ? Imaginez que vous gagniez, Tyler. Nous prenons du bon temps, nous partageons un lit, et après ?

— Je ne cherche pas à m'engager pour la vie, Lane.

Elle fronça les sourcils.

— Alors pourquoi vous fatiguez-vous ainsi ? Pour une simple soirée ?

Il se releva, scrutant son regard. Etait-ce lui ou elle qu'il était en train de disséquer intérieurement ? se demanda-t-elle.

— Non, bien sûr que non.

Un calme étrange l'envahit. Toujours adossée à sa colonne, elle regarda les gens qui, dans la rue, regagnaient leurs voitures ou leurs maisons.

— Moi non plus, je ne cherche pas à m'engager. Et, comme je vous l'ai déjà dit, je ne me sens pas non plus prête à passer pour votre dernière conquête pour être ensuite abandonnée à mon triste sort. Faites-moi confiance, si je vous dis que je connais ce scénario par cœur, c'est que c'est vrai.

Sur ces mots, elle se leva et se dirigea vers sa porte.

— Lane ? appela-t-il.

— Bonne nuit, Tyler.

Lane, que Nalla avait conviée à venir pendant la fermeture goûter ses dernières créations, achevait de déguster un vol-au-vent.

Le petit restaurant était situé sur les berges du fleuve, dans un quartier récemment rénové. La vue y était spectaculaire et l'ambiance chaleureuse. On pouvait y dîner à la carte au premier étage ou choisir de s'attabler au rez-de-chaussée pour casser son crabe au marteau.

L'endroit, à la fois élégant et décontracté, reflétait parfaitement la personnalité de Nalla. Lane admirait la façon dont son amie abordait la vie, sans se poser de questions. La nature l'avait dotée d'une beauté remarquable, ce qui irritait la plupart des femmes de Bradford, et elle était aussi à l'aise dans un tailleur de femme d'affaires qu'en jean et débardeur.

— Je vais finir par devenir énorme si je continue à faire le cobaye pour toi, observa-t-elle.

— Tu es la seule à qui je puisse me fier ! Mon personnel a peur d'être renvoyé s'il ne me dit pas ce que je veux entendre.

Nalla ouvrit une bouteille de vin, remplit deux verres et lui en tendit un.

— Nous serons mieux au premier, suggéra-t-elle. La brise est très agréable à cette heure de la journée.

Lane lui emboîta le pas et, à peine installées sous la véranda à l'étage, Nalla lança :

— Alors, parle-moi de Tyler.

— Et moi, devrais-je te demander de me parler de Kyle ?

Nalla, les yeux perdus dans son verre, posa les pieds sur la balustrade.

— Une autre fois peut-être.

Il devait s'agir d'un souvenir particulièrement douloureux, songea Lane. Habituellement, Nalla parlait très ouvertement.

— Tyler me poursuit et ne veut pas renoncer, expliqua-t-elle alors. Il insiste pour m'emmener au bal d'hiver.

— Tu ne veux pas y aller ?

— Bien sûr que si. Mais s'il n'est pas intéressé par une relation sérieuse, dois-je prendre le risque ? Dan Jacobs ou un autre pourrait me retrouver. Dan a été payé pour un article qu'il n'a pas fini, par conséquent il est toujours dangereux. Ce genre de journaliste en veut toujours plus. Seul mon père sait où je suis, et je lui ai fait jurer le secret.

— Je pense que tu devrais tout avouer à Tyler, il te protégerait.

— Mais je lui ai menti, or il déteste les mensonges.

— Non, tu te protèges, il y a une différence. Une fois que Tyler aura découvert le comportement abject de Dan Jacobs, je suis sûre qu'il passera à l'attaque pour défendre ton honneur.

— Je ne peux pas compter là-dessus. Je ne sais pas comment il réagirait en apprenant la vérité sur mon identité.

— Tu es en train de tomber amoureuse de cet homme, n'est-ce pas, Elaina ?

Comme c'était bon d'entendre quelqu'un l'appeler par son vrai prénom !

— Je crois bien que oui.

— Est-ce que tu veux coucher avec lui ?

Lane hocha la tête. Elle se souvint des mots de Tyler : « Je n'avais pas prévu de simplement coucher avec vous. »

— C'est la menace de la presse qui me préoccupe. Si je vivais quelque chose avec Tyler, je serais obligée de renoncer à mon anonymat.

Sentant ses yeux s'embuer, elle défit son chignon. La brise se mit à jouer dans ses cheveux.

— Tu ne peux pas savoir ce que c'était, dit-elle en repensant aux micros, aux flashes de photographes devant les fenêtres de sa chambre, à ses photos dans les quotidiens.

— Tu as raison, je ne peux qu'imaginer, répondit Nalla. Tu as perdu l'homme que tu croyais aimer, ta réputation, tes défilés, et ce contrat avec cette chaîne qui devait vendre tes collections. Cela a dû être atroce. Mais est-ce une raison pour te couper du monde pour le restant de tes jours ? Si c'est vraiment ce que tu décides, c'est une deuxième victoire pour les médias et pour Dan Jacobs. Alors écoute-moi et défends-toi.

— J'ai essayé.

Et, bien sûr, la presse avait interprété de travers toutes ses déclarations. Les journalistes ne voulaient croire que les calomnies de leur confrère.

— Non, ce que je veux dire, c'est qu'il faut que tu luttes pour toi-même, pas pour ta carrière, pas pour ta famille. Je sais que tu t'es déjà battue pour eux.

— Et que j'ai perdu.

— Mais c'est toi qui fais tes choix maintenant, Elaina, pas eux. Si Dan Jacobs pointe son nez, lance Tyler à ses trousses. Et tous les McKay, pendant que tu y es, conclut-elle avec un haussement d'épaules.

Lane but son verre presque d'une traite. C'était vrai, elle était fatiguée de mentir, de se cacher. Et, comme Cendrillon, elle mourait d'envie d'aller au bal.

— Promets-moi que tu vas au moins y réfléchir, d'accord ? Tu as le temps. Avant le bal, il y a le jubilée de minuit, la régate de voiliers, le rodéo à la ferme des Stanley, l'exposition d'artisanat local et, mon attraction favorite, le concert dans le parc. Et attends un peu de voir le jubilée ! On a l'impression de voyager dans le temps. La rue est décorée de lanternes blanches, une chorale chante des cantiques de Noël en costumes d'époque. Et… tu dois t'arranger beaucoup mieux que ça.

— Pardon ?

Nalla jeta un coup d'œil aux couches de vêtements couleur rouille sous lesquelles elle persistait à se dissimuler.

— Allons, Lane ! Tu dois te laisser gagner par l'ambiance de fête. C'est un prélude à Noël et c'est comme un conte de fées. Des canapés servis par des hommes en tenue de laquais dans les rues, les courses de Noël, les réceptions, les fêtes, conclut-elle, le regard brillant d'excitation, les bras en l'air, faisant mine de danser dans son fauteuil.

— Et que vas-tu te mettre ? demanda Lane, songeant à sa propre tenue.

— Une fabuleuse robe de cocktail moulante, brodée de perles bleues, qui m'a coûté un an d'économies.

— Un an ? Elle doit valoir une fortune ! Puis-je la voir ?

— Tu la connais, c'est l'un de tes modèles !

7.

Nalla avait dit vrai, le jubilée de minuit ressemblait à un conte de fées.

Le quartier historique s'était vidé de toute circulation automobile. Les magasins aux vitrines somptueusement décorées avaient fermé plus tôt pour rouvrir de 19 heures à tard dans la nuit, après le concert. Tout le long de Bay Street, dans laquelle des haut-parleurs diffusaient de la musique classique, des guirlandes de petites ampoules blanches s'enroulaient autour des arbres et des pieds des réverbères.

Lane avait passé la matinée à s'occuper de sa propre vitrine dont les rebords blancs étaient maintenant rehaussés de velours d'un bleu chatoyant. Les livres et autres articles étaient exposés sous des éclairages scintillants. Comme les autres commerçants, tous vêtus de costumes d'époque, elle avait dressé dans Bay Street un stand proposant aux passants du vin et les délicieux canapés préparés par Nalla, et un auteur de la région lui faisait ce soir-là l'honneur de dédicacer son dernier roman à l'intérieur de la librairie.

Tout le quartier vibrait d'excitation, constata-t-elle en rouvrant grand les portes de son magasin sur le soleil couchant. Il était maintenant 19 heures. La chorale, alignée sur le splendide escalier d'apparat d'Antebellum House, finissait son récital de chants de Noël, et les applaudissements nourris annonçaient une affluence nombreuse.

Mais au plaisir que lui inspirait ce spectacle vint rapidement se substituer un sentiment de panique : elle n'aurait jamais cru que la librairie attirerait une telle foule. Cet engouement était sans doute dû à la présence de l'auteur, qui semblait connaître tous ceux qui entraient.

Lane, après s'être assurée que l'écrivain n'avait pas besoin d'elle, se mit à courir de la caisse au buffet et de rayon en rayon pour dénicher les livres qu'on lui demandait. Sans oublier le bar : la température avait baissé, et les gens préféraient des cappuccinos et des laits chauds aux boissons fraîches. C'était sans fin.

Comme elle était contente d'avoir choisi de porter une jupe plus courte, ce soir ! Dans sa tenue habituelle, elle aurait trébuché à coup sûr. Mais elle aurait dû se faire aider, c'était trop bête. A s'agiter ainsi dans tous les sens, elle n'avait même pas le temps de parler à ses clients préférés.

Tyler évalua du regard le chaos : il y avait foule dans la petite librairie.

— Oh là là ! Tu as vu ce monde ! s'exclama sa sœur Kate, qui venait de surgir à l'improviste.

Il sursauta. Que faisait-elle là ?

— Je parie que Lane ne s'attendait pas à ça, dit-il en lui déposant un baiser sur le front.

Il se fraya un chemin jusqu'à la propriétaire qui, l'air un peu dépassée, continuait à s'affairer à droite et à gauche.

— Bonsoir, Lane.

Elle finit de taper quelques chiffres sur son tiroir-caisse et leva les yeux vers lui.

106

— Bonsoir, répondit-elle en s'empourprant légèrement. Merci, continua-t-elle à l'adresse du client du moment en mettant des livres dans une pochette avant de les lui tendre. Je vous téléphone cette semaine pour vous tenir au courant de mes recherches. J'aurais bien aimé bavarder un peu, mais…

Et, sans prendre le temps de respirer, elle se précipita vers le bar devant lequel une queue s'était formée.

Le regard de Tyler alla de la caisse à l'écrivain et du buffet à une autre cliente qui, visiblement, cherchait la libraire.

— Oh oh ! s'exclama-t-il avec un petit geste de la tête à l'intention de sa sœur.

Et il se précipita vers Lane, suivi par Kate.

— Vous avez besoin d'aide, apparemment.

— Non. Oui. Je vous appellerai si c'est le cas, répondit celle-ci en rassemblant des gobelets de café.

Sans se laisser décourager, Tyler se glissa derrière le bar et attrapa des mugs et des serviettes en papier.

— Je suis très capable, et j'ai amené ma sœur en renfort.

— Votre sœur ? s'exclama Lane en se retournant vivement, tout en continuant à faire fonctionner sa machine à expresso. Oh, bonjour. C'est gentil à vous d'être passée.

— C'est exactement ce qu'il vous fallait, n'est-ce pas, une cliente de plus ? blagua Kate en jetant un coup d'œil sur le petit magasin bondé.

— Incroyable, n'est-ce pas ?

Malgré ce branle-bas de combat, Lane avait l'air ravie de faire des affaires.

— Nous pouvons vous donner un coup de main, vous savez, proposa Kate.

— Oh non ! Jamais je n'oserais…

— C'est nous qui vous le proposons, l'interrompit Tyler. Pourquoi n'avez-vous pas engagé Peggy ?

— Je ne pensais pas que le magasin serait pris d'assaut de la sorte, expliqua-t-elle en faisant un geste en direction des fans qui assiégeaient l'écrivain. Peg est avec Dean, quelque part par là. Ils profitent du festival.

— Je sais me servir de ces machines à café, annonça Kate.

— C'est vrai ? Le ciel soit loué !

Tyler se pencha vers Lane et posa sa main au creux de son dos. A ce contact, elle exhala un petit soupir fatigué.

— Laissez-nous vous aider, insista-t-il d'une voix douce. Nous le voulons. De plus, à part du shopping, ce qui est loin d'être mon activité favorite, il n'y a rien d'autre à faire ici.

Lane leva les yeux vers lui. Visiblement, elle lui était tellement reconnaissante qu'elle en aurait pleuré.

Kate se glissa à son tour derrière le comptoir, repoussant Tyler et attrapant un tablier.

— Vous êtes bien sûre ? demanda Lane. Je suppose que ce n'est pas vraiment la façon dont vous comptiez passer votre soirée.

— Non, je pourrais courir après mes enfants qui sont probablement en train de rendre leur père fou. Puis ce serait le retour à la maison pour m'occuper du lave-vaisselle et essayer de mettre tout ce petit monde au lit. Entre ça et faire des cafés pour vous, quel dilemme ! Et puis ça me rappelle mes jobs d'étudiante, s'exclama-t-elle en lui décochant un sourire.

Enfin convaincue, Lane finit par regagner sa caisse, oubliant Tyler qui ne la quittait pas des yeux. Elle allait et venait, souriante, riait avec les clients, apportait une boisson fraîche à l'écrivain.

— Elle a l'air charmante, Ty, constata Kate en s'affairant derrière le bar.

Il lança un coup d'œil surpris à sa petite sœur. Comme dans sa propre cuisine, celle-ci s'activait à la vitesse de l'éclair.

— Quand elle accepte de baisser sa garde assez longtemps pour que l'on s'en aperçoive, répondit-il alors.

— Oh là là ! Tu commences à l'analyser. Voilà qui est bon signe.

— Tu vas me donner ton opinion alors que tu viens à peine de la rencontrer ? s'enquit-il.

— C'est un peu ça. Maman et Diana l'aiment bien. Elle ne ressemble pas au genre de filles avec lesquelles on avait l'habitude de te voir.

Tyler sourit. Sa sœur avait beau n'être qu'un petit bout de femme, c'était un véritable dragon lorsqu'il s'agissait de protéger sa famille. Clarice avait d'ailleurs de la chance d'avoir quitté la ville avant que Kate ne l'attrape.

— Je sais qu'elle est différente, biquette.

Kate se pencha plus près pour couvrir le bruit de vapeur de la machine.

— Mais ? creusa-t-elle. Je sais qu'il y a un « mais », il y en a toujours un avec toi. Elle est mariée ?

— Non, mais elle cache quelque chose, je le sens. Par exemple, quelque chose chez elle me semble familier…

Il venait seulement de le remarquer.

Ce soir, elle ne se dissimulait pas sous ses longues jupes et ses grands pulls et, tout en la suivant des yeux, il ne pouvait s'empêcher d'admirer son corps que sanglait un élégant tailleur. Sa veste cintrée de brocart noir sur un chemisier blanc empesé était aussi longue que sa jupe. Avec son col haut, on aurait dit une veste d'époque. C'était… comment disait-on déjà… branché. Cela ne ressemblait en rien au style de vêtements que portait Lane habituellement. Et puis ces jambes ! Sapristi !

— Ne brusque rien, conseilla Kate avec un haussement d'épaules, en jetant un coup d'œil à Lane. Mais pour le moment, active-toi un peu et va lui proposer ton aide. Je tiens le bar. Oh, regarde, voilà maman et Kyle.

Avec un petit grognement, Tyler s'empressa d'aller rejoindre Lane. Il devait les devancer. Sa mère, qui avait des espions partout, savait tout de ses diverses rencontres avec elle. Les McKay pouvaient parfois se montrer un peu lourds, il n'était pas question qu'ils aillent faire pression sur Lane.

— Tiens, te voilà ! Intéressant, constata Laura en lui lançant un regard qui lui rappela l'époque où, adolescent, il essayait de lui cacher qu'il rentrait ivre après un match de foot.

— Laisse-moi tranquille, maman !

— Pourquoi es-tu tellement sur la défensive ? demanda Kyle d'un air innocent.

— Tu me demandes pourquoi ? Quand la moitié de ma famille est dans ce magasin en train d'enquêter sur celle dont j'espère faire ma petite amie ?

— Nous sommes ici pour acheter des livres, fit valoir sa mère avec un sourire parfaitement candide.

Comme elle mentait bien ! se dit Tyler.

Ils furent interrompus par une cliente qui demandait un titre. Lane étant toujours aussi occupée, il fit signe à la dame de venir avec lui.

— Attendez, je vais voir si je peux vous le trouver.

Il se retourna vers sa mère.

— Elle travaille seule, alors si tu tiens tant à l'espionner, donne-lui un coup de main.

Puis il se mit à arpenter les rayons à la recherche du titre demandé. D'après la cliente, c'était un livre qui vous arrachait le cœur. A quoi bon acheter ce genre d'ouvrage ? Pour sa part, il connaissait déjà ce sentiment.

*
* *

Lane aperçut soudain la mère de Tyler affairée à servir du punch et des canapés. C'était bien la dernière personne qu'elle s'attendait à voir travailler pour elle. Mortifiée, elle prit congé d'un client et se précipita vers elle.

— Madame McKay, je ne peux pas accepter, s'exclama-t-elle en faisant mine de lui prendre le plateau.

Mais son interlocutrice ne l'entendait pas de cette oreille.

— D'abord, je vous ai déjà dit de m'appeler Laura. Ensuite, je me débrouille très bien. J'ai été serveuse autrefois, vous savez. Dans une crêperie.

— Vraiment ? demanda Lane, incapable d'imaginer cette femme si élégante serveuse dans un restaurant.

— J'ai été renvoyée au bout de trois jours, précisa Laura. Je n'étais manifestement pas destinée à faire carrière dans la restauration, et ils s'en sont vite aperçus. Mais n'oubliez pas toutes ces années passées à servir mes enfants ! Croyez-moi, j'ai de l'entraînement.

— Je suis horrifiée de vous voir faire ça.

— Vous avez besoin d'aide, mon chou, répliqua-t-elle en posant une main apaisante sur son bras. Alors soyez simple, acceptez. De plus, cela m'amuse

— Si vous en êtes sûre, bredouilla Laura, profondément touchée par la contribution de tous ces McKay.

— Allez, occupez-vous de ce que vous seule pouvez faire, reprit son interlocutrice avec un geste de la tête en direction de la caisse.

Après une seconde d'hésitation, Lane obtempéra. A quoi bon insister, de toute façon ?

Trois heures plus tard, le romancier, qui avait vendu jusqu'au dernier volume de son dernier ouvrage, avait pris congé, suivi de peu par Laura McKay. Avant de partir, cette dernière avait invité Lane à un barbecue familial, le lendemain, après le match de football auquel Tyler devait participer. Puis le mari de Kate était arrivé, les cheveux pleins de barbe à papa, ses enfants croulant de sommeil dans les bras, et il s'était attardé à bavarder avec sa femme. La sœur de Tyler était drôle, intelligente, et elles étaient déjà amies.

Une chose était sûre, il était difficile de ne pas se prendre d'affection pour un McKay.

Une fois tout le monde parti, elle se laissa tomber dans un fauteuil et retira ses chaussures.

— Bravo ! dit Tyler, assis en face d'elle. Magnifique soirée, n'est-ce pas ?

— Oh oui, je suis encore sous le choc, totalement médusée.

Elle devait réfléchir à un moyen de remercier Laura et Kate.

Tyler s'avança sur le bord de son fauteuil et, lui attrapant la cheville, la posa sur ses genoux.

— Tyler !

— Chut, détendez-vous ! ordonna-t-il, en lui massant le pied.

Avec un soupir las, elle ferma les yeux.

Prenant son autre pied sur ses genoux, il lui prodigua les mêmes attentions. Elle se mit à protester de nouveau, puis finit par se laisser faire, décidant de s'abandonner au réconfort que ce massage inopiné lui procurait. Cela devenait une habitude chez elle de céder aux McKay. Décidément, ils savaient convaincre, dans cette famille ! Les mains puissantes de Tyler provoquaient de petits frissons le long de ses jambes et… elle s'enfonça encore dans son fauteuil.

— Je dois vraiment aller ranger le magasin, reprit-elle.

Inutile de regarder autour d'elle, elle savait déjà que c'était le bazar. Elle essaya alors de lui retirer son pied, mais il le serra plus fort.

— Vous ferez ça demain, la soirée n'est pas terminée.

— Pour moi, elle l'est.

— Et le concert ?

— Je n'irai pas. Merci quand même.

— Je nous ai réservé une place et prévu une couverture.

Elle rouvrit les yeux et, devant son sourire confiant, se sentit fondre.

C'est alors que les mains de Tyler se mirent à remonter le long de ses jambes. Lane sentit une boule de feu fuser en elle pour venir se loger au creux de son ventre, tandis qu'elles s'aventuraient sous l'ourlet de sa jupe.

— Tyler ! Etes-vous en train d'essayer me peloter ?

Il sourit de nouveau.

— Je n'essaye pas. Vous avez des jambes divines, chérie.

Il se pencha dans son fauteuil, ses mains maintenant sur ses cuisses.

— Et elles vont bien jusqu'en haut, précisa-t-elle.

Mais pourquoi diable se laissait-elle faire sans protester ?

Elle le savait parfaitement. Elle était en train de tomber amoureuse de lui et, lorsque sa main glissa plus haut sous sa jupe, elle n'eut plus qu'une seule envie : qu'il la caresse.

— Approche-toi, implora-t-il.

Lane se redressa, et Tyler sentit son estomac se serrer. Le moindre petit signe d'encouragement de sa part signifiait tellement pour lui !

Il voulait lire dans ses pensées, apprendre à connaître la femme qui se cachait sous cet aspect réservé. Le feu sous la glace, voilà ce qu'elle était, songea-t-il, cajoleur, en frôlant sa bouche de la sienne. Elle émit un petit gémissement qui vint mourir sur ses lèvres, tandis que ses mains voletaient sur ses cuisses. Elle était à deux doigts de le toucher, ce qui ne faisait qu'accroître sa tension. A l'instant où elle posa ses paumes sur ses jambes, une flèche de désir le transperça, le laissant tremblant. Comme il avait envie d'elle !

— Seigneur ! exhala-t-il en s'emparant de sa bouche.

Sous la pression de sa langue, ses lèvres s'ouvrirent en corolle, tandis que ses doigts s'enfonçaient dans ses cuisses. Il entendait sa respiration saccadée. Bon sang, il allait exploser ! Au moment où, l'attrapant par les hanches, il s'apprêtait à l'attirer sur ses genoux, ils furent interrompus par la sonnerie du téléphone.

Haletante, Lane se dégagea d'une secousse et jeta un regard furieux vers le fond du magasin.

— Je dois répondre, soupira-t-elle en se levant.

Les yeux clos, Tyler se renfonça dans son fauteuil pour mieux revivre les derniers instants. Seul le son de la voix de Lane lui parvenait en un doux murmure qui venait troubler le silence. Son membre était raide, ce qui était fréquent quand il était près d'elle. Jamais une femme ne lui avait inspiré un tel désir.

Soudain, quelque chose dans l'intonation de la jeune femme lui fit froncer les sourcils. Se levant, il se dirigea vers la porte du bureau restée entrouverte et… l'entendit s'exprimer couramment en italien !

Il eut un mouvement de recul. Il ne comprenait pas un mot, mais manifestement elle était furieuse après son interlocuteur. Quelle furie, c'était ahurissant ! Dire qu'il n'avait jamais réussi à la mettre en colère. Ce n'était pourtant pas faute de l'avoir provoquée ! Et là, elle parlait à toute vitesse en faisant de grands gestes de sa main libre. Qui que ce soit, celui qui se trouvait au bout du fil passait un mauvais quart d'heure.

— Non, papa, répondait Lane à son père. Je ne reprendrai pas ma vie d'avant. C'est fini.

Seigneur ! Toujours la même conversation… et cela faisait deux ans que cela durait.

— Mais, mon cœur, ça ne peut pas être fini, fit valoir Bastian Giovanni, c'est impossible.

La gorge serrée, elle l'écoutait. Il lui avait été assez difficile comme ça d'admettre que sa carrière, son nom, avaient été détruits de manière aussi brutale. Alors même son père devait comprendre que « revenir » ne se bornait pas simplement à reprendre ses crayons et à se remettre au travail.

— Tant qu'Angel n'acceptera pas de mettre un terme à ses fréquentations douteuses et de déclarer au FBI ce qu'il sait sur les affaires qui se trament, je n'envisage même pas de revenir. Je ne veux pas, insista-t-elle.

— Tu ne vas pas me dire que tu es heureuse dans ce trou perdu.

Elle jeta un coup d'œil en direction de la porte entrouverte derrière laquelle, elle le savait, se trouvait Tyler.

— Aujourd'hui si. Très.

— Tu renonces donc à ta carrière de styliste pour de bon ?

— Je ne peux pas prédire l'avenir, papa. Mais Dan Jacobs me recherche toujours. La dernière fois que tu as téléphoné, tu m'as dit toi-même qu'il persiste à vous espionner.

— Les rumeurs se sont tues.

— Je vais les réveiller si je reviens, et je ne me sens pas de taille à les affronter.

Ses yeux la brûlaient. Elle se pressa le front, une migraine la vrillait. S'il continuait à répéter la même chose chaque fois qu'il téléphonait, à quoi bon se fatiguer ? Ne se souvenait-il donc pas des photos d'elle dans les tabloïdes ? De sa panique et de son stress lors du fiasco de son défilé ? Et des horreurs qui avaient été écrites sur eux ? La presse était allée jusqu'à publier la retranscription du procès de divorce de sa sœur…

— Angelo est désolé.

— C'est surtout pour lui qu'Angel est désolé, papa. Est-ce qu'il est poursuivi par les journalistes, lui aussi ?

— Ses nouveaux amis les tiennent à l'écart.

— Tiens donc ! Et que fait-il à Las Vegas, à jouer avec ces… truands ?

Bastian Giovanni laissa échapper un long soupir. Il devait être en train de tripoter l'un des bouchons qui remplissaient le saladier sur son bureau. C'était sa façon de calmer sa frustration.

— Il ne veut pas me le dire. D'après lui, ce sont juste des amis, rien de plus. Il persiste à me demander de lui faire confiance.

— Et tu l'écoutes. Ne nie pas. Si c'était mon fils, je lui donnerais probablement le bénéfice du doute, moi aussi. Je dois y aller, papa, j'ai un invité, dit-elle en regardant de nouveau la porte.

— Un homme ? Sois gentille avec lui, Elaina, j'ai hâte d'être le grand-père de tes enfants.

— Peux-tu me rappeler exactement ce que tu entends par « gentille » ? s'enquit-elle avec un sourire.

— J'ignorais que ma fille préférée pouvait se montrer aussi sarcastique, répliqua-t-il avec un petit gloussement.

Tiens, il était en train de se radoucir !

— Je dois raccrocher, répéta Lane en fermant les yeux. Je t'aime, papa.

— Moi aussi, mon cœur.

— Une dernière chose, papa.

— Oui ?

— Cesse de vouloir me faire rentrer à la maison, je t'en prie, j'ai eu ma dose de harcèlement ces derniers temps. Et je suis désormais chez moi ici, conclut-elle, les yeux de nouveau tournés vers la porte.

116

Avec un soupir pesant, son père acquiesça, puis il raccrocha.

Lane, songeuse, laissa un instant ses doigts courir sur le combiné qu'elle venait de reposer sur son socle. Son père lui manquait. Ses frères et sœur lui manquaient.

Elle se leva pour rejoindre Tyler au magasin.

— Excuse-moi.

— Je t'en prie. J'ignorais que tu parlais si bien l'italien.

Panique totale.

— Et toi ? demanda-t-elle.

— Pas un mot.

Soulagée, elle sentit la tension se relâcher dans ses épaules.

— L'une de mes pensions se trouvait en Italie, expliqua-t-elle.

Ce qui n'était pas un mensonge. Elle passait les étés avec son père dans la maison familiale, mais certaines années scolaires ses parents, trop occupés, l'avaient mise en pension en Italie.

— Tu veux aller au concert ? s'enquit-il. Ça va bientôt commencer.

— Je ne pense pas en avoir le courage.

— La musique te changerait les idées. On dirait que cette conversation téléphonique ne s'est pas très bien passée ?

Elle croisa le regard de Tyler et détourna les yeux. Elle se sentait en effet envahie par un tourbillon d'émotions.

Comment son père pouvait-il penser qu'elle allait revenir, quand Dan Jacobs montrait une telle détermination à la retrouver, quand il était allé les poursuivre jusqu'en Italie ? Mais que diable ce serpent voulait-il encore obtenir d'elle ? Ne lui avait-il pas déjà pris tout ce qu'elle aimait ? Non, décidément, même si les rumeurs s'étaient tues, elle ne voulait pas rentrer. Elle était tout simplement trop fatiguée.

Tout à ses pensées, elle ne s'était pas aperçue que Tyler l'avait entraînée devant la porte qui menait à son appartement. Il avait fermé les issues de la librairie, éteint les lumières, et il lui tendait les clés.

— Je ne peux pas te quitter des yeux une seconde, n'est-ce pas ? dit-elle.

— J'adorerais que ce soit vrai, sourit-il.

Il ouvrit la porte de l'entrée privée de son appartement et la poussa gentiment en direction de l'escalier.

— Je sais ce que c'est d'être épuisé. Et je peux dire que tu tombes littéralement de sommeil.

— Je peux monter chez moi toute seule !

— Je sais. Je t'accompagne juste à ta porte.

Avec un hochement de tête résigné, Lane commença à gravir les marches, le corps alourdi par la fatigue de la journée. Tout ce qu'elle voulait, c'était un bain chaud et une bonne nuit de sommeil.

Arrivé au premier, évidemment, Tyler inspecta les lieux.

Les murs des pièces d'origine avaient été abattus, créant un volume qui englobait le salon, la salle à manger et une cuisine américaine. Elle avait disposé des bibelots anciens sur des tables en chêne ciré et drapé les fenêtres de rideaux de plantes vertes qui se déployaient jusqu'au sol. Çà et là, quelques touches de fer forgé, une abondance de coussins : c'était un appartement douillet, agréable à habiter.

— J'aime cet endroit, constata-t-il. Ça te dirait de décorer ma maison ?

Avec un sourire, elle s'affaissa contre le mur :

— Non. Rentre chez toi, Tyler.

— Tu ne me fais pas visiter ?

— Salon, salle à manger, cuisine, chambre, chambre d'amis, énuméra-t-elle en désignant les divers endroits du doigt.

Il gloussa et fit un pas vers elle :

— Tu n'es pas contente que demain soit dimanche ?

— Oh que si ! Tu ne peux pas savoir !

La journée avait été encore plus fatigante qu'un défilé de mode. Et elle était bien placée pour savoir à quel point c'était exténuant !

— Tu participes à la régate, demain ?

— Zut alors ! Figure-toi que j'ai oublié de le noter, répliqua-t-elle d'un ton sarcastique.

— Kyle et moi ferons équipe sur un voilier, expliqua Tyler en s'approchant encore.

— Quelle surprise !

— C'est une tradition. Depuis la première régate, les McKay y participent chaque année. Nous n'en avons jamais gagné une, mais nous avons toujours fait acte de présence.

Il n'était plus qu'à quelques millimètres d'elle. Malgré sa fatigue, quelque chose en elle le réclamait de toutes les fibres de son être.

— Tu veux que je vienne te regarder sur ton voilier ? Comme un joueur de football pendant un match ?

— C'est un peu ça, fit-il d'un air absorbé, en jouant avec une mèche de ses cheveux.

— Tu as bien assez d'admiratrices.

— Faux !

— Alors, pas assez ou pas du tout ?

Ce qui lui donna à réfléchir une fraction de seconde.

— Ni l'un ni l'autre, répliqua-t-il. Tu es la seule qui compte.

— Pour cette semaine.

Tyler recula d'un pas, scrutant son visage avec gravité.

— C'est ce que tu penses ? reprit-il d'une voix affligée après un silence. Si tu crois ça, Lane, il est vraiment temps que nous fassions plus ample connaissance.

— Je ferai de mon mieux pour m'en convaincre, dit-elle en exhalant un soupir.

Elle venait encore une fois de capituler. Décidément, quand il s'agissait de cet homme, elle était irrécupérable.

— Il est difficile de vous résister, Tyler McKay.

— Alors arrête d'essayer, dit-il en la pressant contre le mur et en glissant son genoux entre ses cuisses.

Et avant qu'elle n'ait eu le temps de protester, il s'était emparé de sa bouche et la dévorait d'un baiser exigeant.

Le sol se déroba sous ses pieds, et elle se sentit fondre de l'intérieur. Elle l'agrippa par la taille tandis qu'il l'écrasait sur la surface dure, couvrant son visage, ses lèvres et sa gorge d'une pluie de baisers. Et lorsqu'il se pencha encore, elle le laissa faire sans protester. Un bouton sauta, puis un second, et une fraction de seconde plus tard sa langue dessinait un sillon humide sur la naissance de ses seins.

Lane haleta. Elle n'avait qu'une envie, arracher son chemisier et son soutien-gorge pour sentir ses lèvres partout sur elle.

— Je te veux, murmura-t-il, son souffle haletant contre sa peau, puis contre sa bouche. Je te veux tellement.

— Tyler…

Croisant son regard, il repoussa ses cheveux en arrière.

— Je sais, tu n'es pas prête pour ça. Mais bon sang, Lane, j'ai besoin de te toucher.

Il scella ses mots d'un nouveau baiser, forçant ses lèvres comme une corolle dont il explora le cœur velouté tandis qu'elle lui répondait, le mordillant et aventurant ses mains à l'intérieur de sa veste. Puis elle sentit sa main glisser sur sa hanche, redescendre sur sa cuisse et se refermer derrière son genou pour remonter, entraînant sa jupe avec elle.

Envahie par une myriade de sensations exquises, elle laissa le vide se faire dans son esprit.

Il lui écarta encore les jambes avec son genou. Lorsque ses doigts effleurèrent le haut de son bas, il s'immobilisa, sourcils arqués :

— On n'est jamais au bout de ses surprises, avec toi ! murmura-t-il.

Elle se mit à rire doucement. Eh oui, elle portait des bas et un porte-jarretelles...

Du bout des doigts, il effleura alors les douces lèvres qui protégeaient sa féminité, et ce simple contact l'enfiévra tant qu'elle crut défaillir. Submergée par une vague de désir brûlant, elle murmura son nom.

— Je sens ta chaleur, chuchota-t-il alors d'une voix rauque, son souffle chaud dans son oreille. As-tu idée de l'effet que cela produit sur moi ?

Pour preuve, il la pressa tout contre lui afin qu'elle goûte son excitation.

Le cœur cinglant dans sa poitrine, Lane enfonça ses doigts dans ses cheveux et s'abandonna.

Tyler agrippa le bord de son slip, ses doigts voletant sur ses fesses, sur ses hanches, vers le cœur de sa féminité brûlante.

Jamais elle n'avait connu supplice plus délicieux, expérience plus érotique. Mais elle savait que Tyler était un gentleman, que jamais il ne forcerait quoi que ce soit. Sa caresse était simplement une question.

— Ouvre-toi pour moi, chérie, murmura-t-il, son souffle chaud contre sa bouche.

Et c'est ce qu'elle fit.

8.

Le cœur de Tyler cognait tellement fort dans sa poitrine que c'en était douloureux. Le sang lui bourdonnait aux oreilles.

Ne savait-il pas qu'il était en train de s'engager sur un chemin dangereux ? Néanmoins, il n'hésita pas un instant. Désormais, il était lié à cette femme corps et âme, et, s'il tombait, il ne se relèverait pas de sitôt. Elle faisait partie de lui, rien ne comptait plus que cet instant où, alors qu'il la tenait dans ses bras, elle attendait sa caresse.

Lorsque sa main se posa sur son ventre, ses doigts se faufilant sous le tissu de sa petite culotte, frôlant l'écrin de chair festonné de toison, elle ondula contre lui, et son baiser s'intensifia. Elle se déplaça légèrement et enroula sa jambe autour de sa cuisse, s'offrant à lui, jupe troussée.

Tiens, il tremblait, remarqua-t-il. Mettant un terme à son baiser, il plongea son regard dans le sien. Elle murmura son nom d'une voix tendue, presque suppliante.

Il caressa son intimité moite et vit ses yeux se fermer. Ses gémissements rauques semblaient appartenir à une autre femme que celle qu'il connaissait et qui se cachait du monde entier. Dieu, comme il voulait toucher cette nouvelle Lane, la goûter, s'enfouir en elle !

Il écarta ses cuisses qui s'ouvrirent comme les pétales d'une rose épanouie et, plongeant un doigt en son centre, dénicha l'onctuosité de son sexe chaud. Avec un gémissement, il s'aventura plus avant, et elle haleta.

Les doigts fichés dans ses épaules, elle se tordait sous son doigt inquisiteur.

— J'adore ce que tu me fais, chuchota-t-elle.

Ignorant la douleur dans son bas-ventre, il continua à fouiller fermement le doux nid de sa féminité, sentant chaque muscle frémir contre ses doigts.

Jamais il n'avait été aussi conscient des réactions, d'une odeur de femme. Lane renversa la tête en arrière et passa sa langue sur ses lèvres rosies encore gonflées de son baiser. Savourant les expressions qui défilaient sur son visage, il la regardait onduler, sans aucune hâte, au rythme de ses doigts fureteurs. La scène était érotique, animale, et lorsque la main de Lane vint se poser sur son membre raide de convoitise, il se retint de ne pas l'allonger au sol, aiguillonné par le désir violent d'être en elle. Au lieu de cela, ses caresses se firent de plus en plus insistantes. Plus rien ne comptait que sa volupté à elle.

Tandis qu'il la conduisait pas à pas aux confins du paradis, il sentait son sexe douloureux se tendre de plus en plus. Lorsqu'il débusqua la perle dure, il lui chuchota à l'oreille :

— Je veux voir tes yeux. Regarde-moi, chérie.

Plongeant son regard dans le sien, elle s'agrippa à lui, ses doigts remontèrent le long de son cou pour venir fourrager dans ses cheveux, le laissant jouer pour elle la partition du plaisir.

Il la caressait toujours plus profondément et, pantelante, animale, elle ondulait des reins à chaque nouvelle poussée sur le chemin de l'extase. Sentant l'étau soyeux se resserrer intensément, il sourit et l'embrassa. Elle chaloupa contre lui et exhala un long soupir.

— Abandonne-toi totalement, murmura-t-il.

— Assez ! haleta-t-elle en s'écroulant contre lui.

— Ce n'est jamais fini, dit-il en flattant la perle sensible en son centre.

Un gémissement aigu accompagna l'ultime onde de plaisir qui la souleva.

— Oh là, là ! souffla-t-elle avec un petit rire.

— C'était incroyable à regarder, dit-il, mourant d'envie de céder à son propre échauffement.

Mais non ! Pas ce soir. Il voulait attendre.

Embarrassée, elle enfouit la tête au creux de son cou.

— Je n'arrive pas à croire que nous venons de faire ça.

— Moi, si. Tu t'es enfin dévoilée.

Relevant brusquement la tête, elle capta son regard.

— Je n'en connais pas la raison, mais je sais que tu te caches, Lane, insista-t-il. Maintenant, pour changer de mes rêves dans lesquels je te fais l'amour, j'aurai ces souvenirs.

— Tu as rêvé de moi ? De nous ? demanda-t-elle, l'air incrédule.

— Oh oui ! Ce n'était déjà pas facile en imaginant simplement, alors désormais ce sera une véritable torture.

Son visage afficha une expression troublée. Elle mit ses bras autour de son cou et l'embrassant tendrement. C'est alors qu'il la souleva dans ses bras.

Les lèvres toujours scellées aux siennes, il la porta jusqu'au salon et, délicatement, l'allongea sur le canapé, la repoussant légèrement pour s'asseoir sur le bord.

Son chemisier ouvert exposait la rondeur de ses seins. Encore une chose qu'elle lui avait caché : ce corps ! Mais il ne s'y laisserait pas prendre cette fois.

— Je ne reste pas, inutile de prendre cet air affolé.

Elle leva un sourcil perplexe.

— Ne te méprends pas, chérie, enchaîna-t-il d'une voix sourde. Je meurs d'envie de te déshabiller et de goûter chaque parcelle de ta peau, mais je ne le ferai pas. Pas ce soir.

— Ce qui veut dire qu'il y aura d'autres soirs ?

— Je savais que tu comprendrais, répliqua-t-il avec un sourire.

A s'imaginer Tyler et elle explorant mutuellement leurs deux corps nus, Lane sentit sa peau s'embraser. De ses deux mains tendues, elle l'attrapa par les revers de sa veste, l'attira tout contre sa bouche et l'embrassa fougueusement. Une brume ouatée de volupté les enveloppa.

— Accompagne-moi au bal d'hiver.

— Redemande-le-moi demain.

— Pourquoi ?

— Parce que, là, tu pourrais me demander tout ce que tu veux et je te dirais oui.

Tyler sourit. Ses mains vinrent se poser sur ses seins et, se glissant sous son soutien-gorge, se refermèrent sur la peau tiède. Elle arqua le buste et murmura son nom tandis qu'il traçait des arabesques de ses doigts autour des pointes saillantes. Entre eux, l'air était saturé d'étincelles. Elle ne répondait plus de son corps : elle voulait cet homme, ici, tout de suite. S'il ne s'était pas retiré, elle se serait déshabillée et se serait offerte à lui.

— Je dois partir, finit-il par dire en se levant.

Un long moment, il resta là à la regarder. Elle l'entendait haleter doucement. La protubérance sous son pantalon lui prouvait son désir pour elle.

— Tyler…

— Chut ! Ne dis rien.

Immobile, le souffle court, il la dominait, serrant les poings.

Elle se releva, reboutonna son chemisier et posa les pieds au sol.

— J'attends plus de toi, Lane, dit-il alors doucement, et pas seulement au lit.

Combien de temps allait-il croire cela ? songea-t-elle. Une fois qu'il saurait qu'elle lui avait menti, il lui tournerait le dos, c'était inévitable.

— Tu m'en demandes trop.

Il plongea ses yeux bleus inquisiteurs dans son regard.

— Je ne sais pas ce que tu caches, mais cela ne changera rien.

Un instant, elle cessa de respirer.

— Je ne cache rien.

— Menteuse.

— Comment oses-tu ? s'exclama-t-elle, les yeux écarquillés.

— Ne monte pas sur tes grands chevaux, ma chérie. Comment expliques-tu que tu ne m'en dises pas plus sur ton compte ? Avec qui as-tu parlé en italien au téléphone ce soir, par exemple ? De toute façon, je n'aurais pas de mal à le savoir si je le voulais.

Devant sa panique impossible à dissimuler, il hocha la tête.

— Mais je ne le ferai pas, reprit-il en desserrant les poings. Ce que je veux, c'est gagner ta confiance pour que tu me parles à cœur ouvert.

Inutile de répondre. Tout ce qu'elle pourrait dire ne ferait que le renforcer dans ses convictions, et elle n'était pas prête à se dévoiler. S'il voulait jouer avec son corps, c'était une chose, mais chercher à percer le secret de sa vie privée en était une autre.

— Je te l'ai dit, je suis patient, Lane, conclut-il en faisant volte-face pour sortir.

La voix de sa raison lui souffla de ne pas le suivre. Elle écouta ses pas résonner dans l'escalier et la porte se refermer doucement.

126

Etait-elle prête à lui accorder sa confiance ? se demandat-elle en se laissant aller dans le canapé. Comment réagirait-il lorsqu'il saurait qu'elle lui avait menti sur tout ou presque ?

Non, si l'idée d'une aventure avec Tyler McKay était alléchante, cela n'irait pas plus loin.

D'ailleurs, la trahison de Dan Jacobs l'avait meurtrie, et Tyler ne pensait qu'au présent : aucun d'entre eux n'était prêt pour une véritable histoire d'amour.

Le lendemain matin, Lane s'extirpa aussi tôt que possible de son lit pour descendre remettre de l'ordre dans la librairie.

Malgré le fabuleux bénéfice qu'elle avait fait la veille, Tyler occupait toutes ses pensées. Le souvenir de ses caresses audacieuses, des sensations qu'il avait provoquées en elle, ne la quittait pas. En plus, il avait deviné qu'elle ne lui disait pas la vérité… Après ce qui s'était passé entre eux, songea-t-elle en regardant distraitement au-dehors, elle allait sans doute mourir d'embarras en le revoyant.

Les passants se dirigeaient tous vers les berges du fleuve. Bien sûr, elle avait presque oublié, ils allaient assister à la régate.

Quelque chose en elle la poussa vers sa penderie.

D'un geste machinal, elle sortit quelques grands pulls et jupes… avant de les repousser et de glisser la main vers les vêtements rangés au fond du placard : elle avait un jour dessiné ces tenues pour une chaîne de grands magasins et n'avait jamais eu l'occasion de les mettre.

Zut ! Elle n'en pouvait plus de refouler sa véritable personnalité. Petit à petit, cela la rongeait de l'intérieur. Heureusement que Tyler avait fait irruption dans sa vie, ça suffisait comme ça ! Elle ne voulait plus vivre dans le mensonge. Quelles qu'en soient les conséquences, elle allait faire graduellement renaître la véritable Elaina, c'était décidé.

Elle inspecta les vêtements à la recherche d'une tenue peu susceptible d'attirer l'attention : elle n'était pas encore tout à fait prête à sortir de sa chrysalide !

Après quelques hésitations, elle finit par se décider pour un pantalon marine, un pull marin à rayures et un coupe-vent en toile. Si elle se dépêchait, elle pourrait encore assister au départ de la régate.

Tyler lança un regard noir à Kyle et à son bras dans le plâtre. Ce matin, cet idiot avait pris part au rodéo de bienfaisance et s'était fait jeter à terre par son cheval.

— Je ne l'ai pas fait exprès, tu sais. Bien sûr, je sais que ça fiche en l'air toutes nos chances de gagner la course.

— Ce n'est pas pour la course, c'est pour la tradition, grommela Tyler en se frottant la nuque. Sans ton aide, je n'ai plus de matelot expérimenté.

— Tyler, intervint Kate, je peux être ton équipière.

Tyler regarda sa sœur et secoua la tête.

— Merci, mon ange, mais je sais que tu n'aimes pas trop la voile. Tu risques d'avoir peur si le temps se gâte au large.

De plus elle avait une famille, et cette course pouvait parfois être dangereuse.

— Regardez qui j'ai trouvé, appela leur mère.

Tyler fit volte-face et regarda la femme qui l'accompagnait. Lane ! Pour un peu, il ne l'aurait pas reconnue.

Se détournant de ses frère et sœur, il s'avança dans sa direction. Arrivé devant elle, il fixa son pantalon moulant assorti au coupe-vent en toile.

— Je ne sais pas si j'aime te voir habillée comme ça.

— Pourquoi ? demanda Lane en s'empourprant.

— Parce que tous les hommes présents vont pouvoir admirer ce que je connais déjà.

— Oh, vraiment ? répondit-elle, flattée.

— Oui, enfin, à moins d'être aveugles ou abrutis.

Ses cheveux, qu'il ne croyait pas si longs, étaient attachés en queue-de-cheval : une coiffure qui lui donnait un air jeune et sacrément sexy ! Le regard enchaîné au sien, il lui prit les mains et se pencha en avant pour lui frôler la bouche de ses lèvres.

— J'ai pensé à toi toute la nuit, avoua-t-il.

— Eh bien tu dois être épuisé !

— Non. Je me suis endormi en rêvant que tu étais en train de frissonner dans mes bras, comme la nuit dernière.

— Tyler, chut ! Toute ta famille est là, ils pourraient t'entendre, répliqua-t-elle, les joues en feu.

Bien sûr, à la distance où ils étaient, ce n'était pas possible. Il se pencha vers elle

— Je te regarde et je te vois comme hier soir. La peau moite, brûlante de désir, haletante.

Lane cilla et se mordit la lèvre.

— Fais attention, sinon la ville entière va bientôt le savoir !

Il se déplaça légèrement contre elle, afin qu'elle sente le bas de son ventre tendu de désir contre le sien. Elle lui décocha alors un petit sourire espiègle, tellement sexy qu'il eut l'impression qu'elle lui donnait la clé de ses pensées les plus intimes.

— Je suis content que tu sois venue. Hélas, ce sera peut-être pour rien, reprit-il avec un bref coup d'œil en direction de son frère.

— Qu'est-ce qui ne va pas ?

— Kyle s'est cassé le bras au rodéo, ce matin.

— C'est terrible ! Mais en quoi est-ce que cela te pose problème ?

— C'était mon équipier pour la régate, je n'ai plus personne : Reid n'est pas là, Kate a peur de l'eau, et maman n'est… plus tout à fait assez jeune.

Il la prit par la taille et ils rejoignirent les autres McKay assis côte à côte sur un coffre de bois. Derrière eux, un voilier dansait à l'attache. Sur les autres pontons, les équipages concurrents s'affairaient à mettre tout en place.

— Et si tu demandais à Jace Ashbury ? suggéra sa mère.

Tyler hocha négativement la tête et désigna son plus vieil ami, deux appontements plus loin :

— Lui aussi participe à la course, dit-il avec un haussement d'épaules. Allons ! Autant rentrer le bateau et me trouver une place dans le public.

— Je suis vraiment désolé, Ty, s'excusa de nouveau Kyle.

— Ça n'a pas d'importance, c'est juste une course.

Bien sûr, il était déçu. Inutile cependant de culpabiliser Kyle, le pauvre garçon avait déjà assez d'ennuis comme ça ! Il se leva et se dirigea vers son bateau. Il emprunta la passerelle et sauta sur le pont.

— Tu y tiens vraiment, à ta régate ? fit derrière lui la voix de Lane, restée sur le quai.

— C'est une tradition. Depuis cent ans, un McKay n'a jamais manqué une course, répondit-il en fixant les voiles qu'il avait préparées une heure auparavant.

— Je connais la voile.

Il se retourna et, gentiment, lui sourit.

— Tout va bien, Lane. Ce n'est qu'une course.

Elle s'avança vers lui et s'arrêta à mi-chemin sur la passerelle qui reliait le voilier au quai.

— McKay, veux-tu participer à cette course ou pas ?

— Oui, mais pas avec n'importe quel équipier. Surtout sans expérience de la voile.

— Mais je suis un vrai marin, capitaine, riposta-t-elle. La preuve !

Sur ces mots, elle lui désigna rapidement plusieurs parties du bateau en les nommant. Puis, afin de mettre un terme définitif à ses doutes, elle lui énuméra les manœuvres à prévoir pour le virement de bord, lorsqu'ils atteindraient le pont qui marquait le milieu de la course au large de l'estuaire.

Le visage de Kyle se fendit d'un large sourire.

— Je crois bien qu'elle parle sérieusement, Ty, intervint-il. Si j'étais toi, j'accepterais son offre.

Tyler s'approcha du bastingage et, s'y appuyant, fouilla du regard les yeux aux reflets ambrés de Lane.

— Pourquoi fais-tu cela ?

— Parce que ça a tellement d'importance pour toi.

Quelque chose en lui s'ouvrit. C'était sans doute cette partie de son cœur que depuis si longtemps il gardait murée. Il sourit et, d'un signe de tête, l'invita à monter à bord.

— Merci, chérie, dit-il lorsqu'elle posa le pied sur le pont, en repoussant une mèche de cheveux qui s'était échappée de sa queue-de-cheval. Paré, matelot ?

— Parée, capitaine !

Il lui fit un rapide baiser et prit son poste à la barre.

Au signal, tous les voiliers vinrent s'aligner sur la ligne de départ.

Le cœur cognant à grands coups dans sa poitrine, Lane sentit l'appréhension la gagner. Cela faisait un moment qu'elle n'avait pas navigué. Elle ne voulait surtout pas décevoir Tyler qui, au son des crachotements du moteur, était en train de barrer.

— Il faudra être rapide, lança-t-il.

— Crois-moi, Tyler, nous pouvons y arriver.

L'air grave, il lui fit un signe d'assentiment. Elle se prépara et, alors qu'ils approchaient de la ligne de départ, coupa le moteur. Le bateau se mit à tanguer doucement.

Au coup de feu de départ, Tyler hissa le foc dans lequel le vent, froid et vif, s'engouffra aussitôt, gonflant la grande voile bleu vif. Alors, gagnant de la vitesse, le bateau se mit à fendre les flots. Tyler, qui connaissait bien l'estuaire, hurlait des ordres que Lane exécutait. Ils se faufilaient entre les autres bateaux, frôlant les coques. La régate ne devait pas durer plus d'une heure et les voiliers filaient bon train. Lorsqu'ils atteindraient le pont sous lequel les plus hauts mats pouvaient passer, le virement de bord serait décisif pour le vainqueur.

Le bateau de Tyler était l'un des plus gros, pour un équipage de deux personnes seulement. Rien que pour cela, ils auraient mérité un prix ! songea Lane, les deux pieds écartés pour garder son équilibre sur le voilier qui gîtait. Tout cela était follement excitant. Elle avait presque oublié qu'il était possible de s'amuser autant. Arrivés au pont, ils virèrent à grande allure.

— Lane ! cria Tyler alors qu'elle se précipitait pour hisser une voile et en affaler une autre. Pour l'amour du ciel, tiens bon !

Le corps incliné en rappel au-dessus de l'eau, les écoutes à la main, elle hocha la tête. Le bateau penchait tellement que d'un instant à l'autre elle aurait pu se retrouver à la mer.

— Tout va bien ! hurla-t-elle. Contente-toi de barrer.

Il s'exécuta, les yeux fixés tour à tour sur son cap et sur son équipière.

— Hé, McKay ! le héla-t-elle alors que le voilier se redressait après avoir viré. Tu veux la gagner, cette course ?

Tyler jeta un coup d'œil derrière lui et répliqua, souriant :

— Et comment ! Allons-y, ma belle, montrons-leur de quoi nous sommes capables.

Ils faisaient équipe comme s'ils avaient pratiqué le bateau ensemble depuis toujours. Lane, les muscles tendus au maximum, maniait les voiles avec toute son adresse retrouvée.

Les clameurs de la foule qui les encourageait leur arrivaient déjà, étouffées par le claquement du vent et le bruit des vagues. Un autre bateau les accosta presque, les serrant de près. C'était celui de Jace. En une fraction de seconde, elle avait estimé la direction du vent et affalé le foc, et, leur voilier filant comme le vent, ils passèrent la ligne d'arrivée avec une bonne longueur d'avance sous les acclamations de la foule.

Sans perdre un instant, elle s'empressa d'arrimer les voiles, mais déjà Tyler l'avait rejointe et la serrait dans ses bras à l'étouffer.

— Nous avons gagné ! Tu as été magnifique !

Devant son enthousiasme, elle se laissa aller dans le cercle de ses bras, plongeant son regard dans le sien :

— Ça fait du bien quand la chance finit par tourner, n'est-ce pas ? constata-t-elle avec un grand sourire.

— Merci, Lane, dit-il en l'embrassant à perdre haleine.

Lorsqu'il mit un terme à son baiser, elle était haletante et ne sentait même plus le froid.

— Toi aussi, tu étais sur ce bateau, tu sais, dit-elle.

— Oui, mais à la dernière minute j'ai bien cru que Jace allait nous dépasser.

Ce dernier était justement en train de leur adresser un petit salut depuis son voilier qui, non loin d'eux, regagnait le quai.

Tyler, le visage fendu d'un sourire radieux, répondit par de grands gestes de la main. Puis il tourna les yeux vers elle, toujours en proie à une joie ridicule.

— Tu sais quel jour nous sommes ? demanda-t-il à brûle-pourpoint.

— Oui, répondit-elle.

— Accompagne-moi au bal d'hiver.

Elle leva les yeux. Ne lui avait-elle pas dit « demande-moi demain », la veille ? Comment pouvait-elle le décevoir ? Il était tellement heureux !

Quant à elle, elle n'avait qu'une envie : se débarrasser de cette apparence derrière laquelle elle se cachait et redevenir la femme qu'elle était vraiment. Tyler avait découvert des fragments de sa véritable personnalité et il aimait ce qu'il avait perçu. N'était-ce pas suffisant pour restaurer sa confiance en elle ?

— D'accord, dit-elle, je viendrai.

— Très bien, répondit-il avec un sourire béat. N'oublie pas que c'est une soirée habillée.

— Je pense que je peux me débrouiller pour dénicher quelque chose de correct.

— Merci, chérie, soupira-t-il en posant son front sur le sien. Que dirais-tu d'amarrer cet engin et de profiter un peu de notre nouveau statut de célébrités ?

Lane se sentit devenir livide. Elle jeta un coup d'œil vers le quai sur lequel les journalistes se pressaient déjà et lutta contre une soudaine nausée.

Oh non ! Elle avait oublié que le gagnant serait en première page du quotidien régional.

Comment diable allait-elle pouvoir les éviter sans faire de peine à Tyler ?

9.

Lane avait détourné son visage des appareils photo. Pourvu que Tyler ne le remarque pas…

Elle répondit à quelques questions des journalistes, mais s'éclipsa discrètement lorsqu'ils commencèrent à devenir trop curieux, laissant la vedette à l'enfant chéri de la ville.

On ne brisait pas un siècle de malchance tous les jours !

Pendant qu'il se faisait mitrailler par les photographes, Lane reprit la direction de sa librairie, mais c'était sans compter sur Laura, Kate et Kyle, qui lui coururent après pour la ramener dans le clan McKay. Elle n'allait manifestement pas pouvoir leur fausser compagnie pour le match de football de l'après-midi, ni pour le barbecue sur la plage qui devait suivre.

Pour être franche, elle ne tenait pas à passer le reste de la journée seule. Elle avait une telle envie d'être avec Tyler !

Après être repassée chez elle enfiler des vêtements plus confortables, elle les rejoignit au stade où tous lui manifestèrent l'accueil chaleureux que l'on réserve à une vieille amie. La spontanéité avec laquelle ils l'avaient adoptée était vraiment touchante. Comme elle s'en voulait de leur cacher sa véritable identité !

Cette famille ne ressemblait pas à la sienne.

Oh, chez elle aussi ils étaient nombreux, bruyants, parfois débordants d'affection. Mais, entre eux, les McKay se compor-

135

taient plus en amis qu'en membres de la même famille. Si ses frères avaient pris part à ce match, ç'aurait été chacun pour soi, à qui serait le plus fort, le plus brillant. Sans doute parce que chacun avait l'impression qu'il devait se faire un nom à sa façon, sans rien devoir au prestigieux vignoble. Et cela, à la grande déception de son père.

Les McKay, en revanche, semblaient tout à fait à l'aise avec leur héritage. Allez comprendre !

Elle décida de se concentrer sur le match qui se termina par une victoire des étudiants sur les anciens élèves.

Tyler s'approcha des gradins et lui fit signe. Légère, elle dévala les marches, se sentant à la fois toute jeune et guillerette. C'était complètement idiot, elle avait trente ans, après tout. Aucune importance ! Elle avait l'impression d'être la pompom girl qui va retrouver le beau capitaine de l'équipe.

Couvert de sueur et de boue, il retira son casque et, souriant, leva la tête vers elle.

— Dans cinq secondes environ, je vais m'écrouler de fatigue et mourir d'embarras, avoua-t-il.

— Jamais on ne s'en douterait, affirma-t-elle en lui souriant tendrement.

— Bon. Alors je vais passer mon bras autour de tes épaules et prétendre que ce n'est pas pour que tu me soutiennes.

Elle se mit à rire, avant de remarquer qu'il avait un doigt enflé.

— Bon sang, Tyler, ta main ! On dirait bien qu'elle est foulée, s'exclama-t-elle en la prenant délicatement et en l'examinant. Il faut la mettre tout de suite dans la glace. Viens chez moi.

— Nous sommes plus près de chez moi. De toute façon, il faut que je me douche et que je me change. Monte en voiture. Tu as peur d'être seule avec moi ? demanda-t-il en voyant la lueur d'hésitation qui brillait dans ses yeux.

— Bien sûr que non. Mais je préfère conduire, tu risques fort d'avoir un autre accident avec cette main.

Après avoir salué les autres McKay, ils prirent ensemble la direction du parking. Perplexe, elle vit Tyler s'arrêter à côté d'une imposante berline rouge cerise et faire fonctionner l'ouverture automatique. Il allait rayer les autres carrosseries avec une voiture de cette taille !

— Qu'est-il arrivé à ta Jaguar ?

— Je l'ai échangée.

— Pourquoi ? Je croyais pourtant que tu l'aimais ?

— Je suppose que je m'en suis lassé, fit-il avec un haussement d'épaules.

Il ne lui disait pas tout : en fait, depuis qu'il connaissait Lane, il recommençait à faire des projets d'avenir, et sa petite voiture de course lui paraissait soudain bien peu pratique.

C'était la première fois depuis trois ans qu'il pensait mariage et enfants, et cette fois, songea-t-il en troquant son maillot rembourré aux épaules contre un vieux sweat-shirt d'étudiant, il savait très bien avec quelle femme il voulait vivre cette aventure. Il lui avait donc semblé tout naturel, lorsqu'il était passé chez le concessionnaire, d'opter pour une berline de père de famille plutôt que de rentrer chez lui dans sa voiture de play-boy sur le retour.

Il coula un regard vers Lane. Comment s'expliquer qu'il n'ait plus peur de souffrir encore une fois ?

Avec un sourire, il lui tendit les clés avant de s'installer dans le siège du passager.

Elle recula pour sortir de la place de parking et se lança dans la circulation. Quelques rues plus loin, ils étaient arrivés. Il descendit de voiture en gémissant comme un soldat blessé et, après être parvenu à retirer ses chaussures à crampons, il la fit entrer.

— Fais comme chez toi.

Elle jeta un coup d'œil à la ronde.

Les meubles étaient rares. Pour un peu, on se serait cru dans un endroit inhabité, ou dans lequel on ne fait que passer.

— Est-ce que tu veux du café ? demanda-t-elle.

— Si tu en trouves. Je n'ai pas eu le temps de faire de courses depuis que le festival a commencé, répondit-il en gravissant les marches d'un pas pesant.

— La prochaine fois que tu voudras jouer au ballon avec des adolescents, rappelle-toi le match d'aujourd'hui, McKay ! s'exclama-t-elle.

— Ta compassion me touche, chérie.

— Je fais de mon mieux.

Le pauvre, chacun de ses pas lui arrachait un gémissement. Elle faillit lui offrir son aide.

Et puis zut ! se dit-elle en partant à la découverte des lieux.

Si l'architecture intérieure était ravissante, la décoration, en revanche, était nulle. On voyait que Tyler ne passait pas beaucoup de temps chez lui et ne s'y trouvait pas très bien. Elle venait de préparer du café et de sortir deux mugs, lorsqu'elle entendit la douche se mettre à fonctionner. Une petite voix intérieure lui souffla : « Monte-lui son café », tandis qu'une autre lui disait : « Attention ! Il est nu et mouillé. Près d'un lit. »

Elle s'appuya au comptoir et avala une petite gorgée du breuvage chaud. Devait-elle aller le rejoindre ou pas ? Ses pensées vagabondes la ramenèrent à la nuit précédente, réveillant en elle des images et des sensations qui, bientôt, la submergèrent. Elle sentit ses seins se durcir à l'intérieur de son soutien-gorge de dentelle et une chaleur diffuse se loger au creux de son ventre.

Il fallait bien l'admettre, elle était totalement amoureuse de Tyler McKay : depuis le moment où il avait percuté sa voiture, elle était fichue.

Sous le choc de cette évidence, elle sentit son cœur se serrer : elle devait lui avouer la vérité. Impossible toutefois de se résoudre à détruire ce qui grandissait entre eux.

Aux prises avec son débat intérieur, elle traversa la maison et se retrouva au pied de l'escalier, ses deux mugs à la main et un sac de glaçons sous le bras. Elle inspira profondément et grimpa les marches, guettant le bruit de la douche. Se guidant aux volutes de vapeur qui flottaient dans le couloir, elle s'arrêta devant une porte qu'elle poussa du coude.

Un somptueux lit à baldaquin était installé dans la chambre, meublée d'acajou sombre et ornée de rideaux damassés. Une image d'eux deux couchés peau contre peau dans ce grand lit, Tyler la dominant de toute sa virilité avant de s'enfoncer en elle, lui traversa l'esprit. Elle sentit son estomac se contracter et une spirale brûlante la transpercer.

Elle l'avait dans la peau, dans le cœur. Et lorsqu'elle regarda la porte entrouverte de la salle de bains d'où s'échappait le bruit de l'eau et la vapeur, elle comprit exactement ce qu'elle était en train de faire.

Il était temps d'arrêter de fuir. De fuir la vie, de fuir Tyler.

Elle posa les mugs et le sac de glaçons et s'approcha de la porte pour le regarder. A travers la vitre de la douche, elle contempla chaque millimètre de ce corps magnifique, les mains plaquées sur les murs carrelés, la tête baissée sous le jet puissant qui venait frapper son dos musclé. Il y avait de quoi se rincer l'œil !

Lorsqu'il releva la tête, elle s'avança dans son champ de vision. Il se figea, son regard accrochant le sien, tandis que l'eau continuait à le frapper.

Elle lui sourit.

Il coupa la douche, attrapa une serviette noire et, après s'être rapidement essuyé le visage et le torse, l'enroula autour de sa taille.

— Tu as décidé de monter me rejoindre ? demanda-t-il en ouvrant la porte, retenant l'envie furieuse qu'il avait de la prendre dans ses bras.

Pour lui, le message était clair.

— Oui, répondit-elle.

— Ai-je besoin de te demander si tu es bien sûre de ce que tu fais ? s'enquit-il en sortant de la douche.

— Non, ce n'est pas nécessaire, répondit-elle en enlevant ses lunettes, la tête légèrement penchée de côté. Et toi ?

— Oh, chérie ! grogna-t-il en s'avançant d'un pas. Tu ne peux pas savoir à quel point je rêvais de te voir ici.

Depuis que pour la première fois il avait posé les yeux sur elle. Depuis son premier baiser, lorsqu'il avait senti sa réserve, les secrets qu'elle renfermait.

Elle retira d'abord ses chaussures, puis ses chaussettes.

Il la regarda faire et sentit son corps réagir avec une rapidité déconcertante. Au moment où elle s'apprêtait à attraper le bas de son chandail, il l'attira dans ses bras et l'embrassa avidement, furieusement. Il la serrait si fort que, les doigts crochés à son pull, il l'avait soulevée du sol. Sa bouche s'écrasa contre la sienne et ses mains se glissèrent sous le tissu pour caresser cette peau chaude et soyeuse dont il voulait toucher chaque millimètre.

Il voulait la déguster, la sentir vibrer dans ses bras, entendre son cri. Jamais aucune femme ne lui avait inspiré un besoin aussi impérieux.

Il la poussa hors de la salle de bains, continuant à l'embrasser éperdument comme si elle allait s'évanouir en fumée dans ses bras. Elle recula d'un pas, croisa les bras et, après avoir retiré son pull et son pantalon, s'offrit au regard brûlant de Tyler, appuyée contre une colonne du lit à baldaquin.

Il s'emplit la vue de sa somptueuse chevelure dénouée qui tombait en cascade soyeuse aux reflets auburn sur ses épaules. Comment un homme pouvait-il ignorer la beauté cachée de cette femme ? Devant sa taille fine, devant ses seins emprisonnés dans un soutien-gorge de dentelle sexy en diable, il avait le souffle coupé, et il déglutit lorsqu'elle le dégrafa. Quand elle laissa choir le délicat vêtement à terre, en une fraction de seconde il la rejoignit, l'enlaçant, couvrant les deux monts laiteux d'une pluie de baisers voraces, leurs pointes saillantes lui brûlant les paumes. Il cueillit la rondeur d'un sein en coupe, cajolant la chair délicate, se délectant des petits gémissements de plaisir que sa caresse arrachait à Lane, de sa main pressante sur la sienne. Acceptant son invitation tacite, il captura une pointe tendre entre ses lèvres. Elle gémit, arqua le buste, et il la lapa, la suçota, dessinant à petits coups de langue le contour du bourgeon qui s'offrait tandis qu'elle ondulait contre lui.

— Tu as tellement bon goût ! ronronna-t-il.

— C'est mon gel douche, le taquina-t-elle, laissant ses mains partir en exploration.

Il eut un petit rire et la plaqua encore contre lui, sans pouvoir assouvir ce besoin qu'il avait d'elle, d'être en elle, de se sentir enveloppé de son corps. Elle le frôlait de caresses à la fois légères et appuyées, et lorsque ses mains rencontrèrent la serviette, elle la tira d'un coup preste.

— Je crois que nous n'avons plus besoin de ça.

D'une main possessive, elle apprécia l'envergure de son désir pressé contre sa féminité.

Il se recula brusquement et se passa la main dans les cheveux. Bon sang, il était en train de perdre contrôle !

— Tyler ?

— Donne-moi une seconde. Je te désire tellement, je veux prendre mon temps.

— On peut toujours remettre à plus tard, avec un peu de patience.

Son regard s'enchaîna au sien. Elle sourit et se retourna, un genou posé sur le lit.

Tyler sentit sa gorge se serrer, sa tête se vider. Il n'aurait pu rêver vue plus sexy sur ses fesses et son string noir. Elle tendit la main vers la table de nuit, attrapa un paquet de préservatifs. Toujours à genoux, elle lui décocha un sourire, laissa les préservatifs tomber en pluie autour d'elle et, du doigt, lui fit signe d'approcher, mettant définivement à mal son sang-froid.

Il lui fallut toute la volonté du monde pour ne pas se ruer sur elle et s'enfouir dans sa chair onctueuse. Réprimant sa fougue, il se laissa tomber de tout son poids sur le matelas, la fit glisser contre lui et, l'attirant entre ses cuisse ouvertes, la retint prisonnière de ses bras sans cesser de l'embrasser à pleine bouche. Il laissa ensuite ses lèvres courir sur sa gorge puis, la repoussant en arrière, se mit à dévorer ses seins chauds et frémissants tandis que sa main glissait le long de sa hanche et s'aventurait sous l'élastique du string.

— « Je crois que nous n'avons plus besoin de ça », fit-il en le lui retirant.

Lane se mit à rire, les yeux dans les siens.

— Bravo pour ta patience !

— C'est une qualité totalement surfaite.

Au contact de sa peau nue, son corps se mit soudain à réclamer celui de sa compagne avec urgence. Il avait envie d'elle comme un forcené, besoin de la posséder, de s'unir à elle.

Lane, tout aussi avide d'être assouvie, se frottait lentement contre lui. Ses mains dessinèrent les contours de son torse et sa bouche prit le relais, sa langue léchant son mamelon d'homme. Il sentit ses doigts se ficher dans ses hanches et entendit son propre feulement. Son érection était pressée contre son ventre, elle referma les doigts autour de son sexe dur et gonflé. D'un geste vif, il lui captura le poignet, brûlant d'un désir sauvage.

— Tu me fais mourir, souffla-t-il.

— Je veux te voir exploser, répondit-elle en se penchant vers son membre raide de convoitise.

Le taquinant de la langue avec une lenteur exquise, elle le prit tout entier dans sa bouche. Il ferma les paupières. Ses poumons manquaient d'air, et une secousse violente l'ébranla.

S'emparant alors de ses hanches et l'attirant sur ses genoux, il mit un terme à sa caresse audacieuse : il avait atteint le point de non-retour, il avait besoin d'être en elle maintenant, sans plus attendre.

Il l'allongea sur le dos.

Ses cheveux roux s'étalèrent sur l'oreiller en une flaque flamboyante. Elle lui sourit et attrapa un préservatif qu'elle lui passa elle-même sans lâcher un instant son sexe lourd et majestueux. Puis, arc-boutant les hanches, elle s'ouvrit pour l'accueillir.

Se plaçant au-dessus d'elle, il laissa la plénitude de sa virilité frôler le doux nid qui frémissait à son contact.

— Maintenant, Tyler, je t'en prie, chuchota-t-elle.

Il pénétra doucement en elle et, souriant à ses supplications, s'enfonça plus profondément dans l'étau soyeux. En appui sur les coudes, il regardait les émotions se succéder sur son visage.

— Tu es si belle, constata-t-il, lissant ses cheveux en arrière pour lui déposer un baiser sur le front.

— Flatteur ! Tu sais que c'est ainsi que l'on obtient tout ce que l'on veut.

— J'ai déjà tout ce que je veux, ici même, ma chérie.

Ses yeux s'embuèrent.

— Tyler, murmura-t-elle.

— C'est mon cœur qui parle, Lane.

— Le mien dit la même chose.

Plongeant en elle, il se mit à exécuter un lent va-et-vient puissant et maîtrisé, sentant son sexe étreint par les muscles souples qui le capturaient. Plus rien n'existait, à part elle et lui qui ne formaient plus qu'un, et le plaisir qui montait inexorablement. Ils se comblaient l'un l'autre en une fusion physique et émotionnelle parfaite. Il sonda son regard pour se repaître de la passion qui couvait en elle, de ce côté animal qu'il voulait libérer.

Le cœur de Lane cognait si fort qu'elle crut qu'il allait exploser dans sa poitrine. Elle voulait le sentir dans chaque fibre de son être, voulait qu'à chaque nouvelle poussée il s'aventure plus loin, plus profondément. Elle se sentait unie à lui comme en fusion, l'étau velouté de son sexe de femme le retenant, l'entraînant au plus profond d'elle-même.

Lorsqu'il se retira pour plonger et replonger de plus belle dans sa moiteur soyeuse, elle se sentit succomber. Oh ! c'était si bon qu'elle aurait voulu arrêter le temps. Chair à chair, ils ondulaient au même rythme rapide, leurs regards enchaînés. Elle se sentait parcourue de petits picotements brûlants qui l'entraînaient en un tourbillon de plus en plus rapide et puissant. Des vagues montaient en elle, toujours plus haut, jusqu'à ce que, soudain, elle chavire dans l'extase, secouée de part en part d'un long frisson de volupté.

— Tyler ! Oh, Tyler ! souffla-t-elle.

— Je sais, chérie, chuchota-t-il d'une voix rauque.

Les yeux rivés aux siens, elle vit son plaisir monter jusqu'à ce que, renversant la tête en arrière, il arc-boute son corps au sien. Lane l'agrippa alors par les hanches, l'attirant plus loin en elle dans un flamboiement de passion, cette passion que depuis si longtemps elle attendait et que lui seul pouvait lui donner.

Le choc de l'orgasme le secoua tout entier, et les yeux de Lane s'emplirent de larmes. Tyler lui couvrit le visage et les cheveux d'une guirlande de baisers avant de s'emparer fougueusement de sa bouche. Après avoir repris son souffle, il roula sur le dos, l'entraînant avec lui.

La force inattendue de leur rencontre la laissait pantelante, alanguie, comme noyée dans un océan de volupté. Serrée contre son corps, elle plongea les yeux dans son regard azur et lui sourit. Maintenant elle n'avait plus le moindre doute à leur sujet.

Cela aurait dû la terrifier, mais non ! C'était comme si Tyler venait de libérer toutes ces parcelles secrètes de son être qu'elle gardait jalousement derrière une porte verrouillée. D'accord, il l'avait harcelée, poursuivie, mais toujours avec douceur et détermination. Et si elle lui avait menti, c'était pour se protéger.

Mais elle ne voulait pas y penser. Pour l'instant, seul leur amour comptait.

— Lane ?

— Oui ?

— Tu es incroyable !

Elle rougit et l'embrassa.

— Je ne te parlerai pas de ton glorieux mouvement de hanches, chéri, tu risquerais d'en tirer vanité.

Avec un sourire, il se mit à jouer avec la pointe d'un sein qu'il attrapa dans sa main.

— Tu recommences ? demanda-t-elle, coquine, l'œil pétillant.

— Je n'ai pas dit que j'en avais fini avec toi…

Il fut interrompu par la sonnerie du téléphone.

Il lança à l'engin un regard noir, mais attrapa quand même le combiné pour répondre.

— Oui, maman, tout va bien.

Lane se couvrit la bouche pour étouffer son rire.

— Non, ce n'est pas cassé, continua-t-il en remuant son doigt enflé. Et Lane est avec moi

Elle lui fit les gros yeux.

— On se verra ce soir à la plage, conclut-il avant de raccrocher.

— Je ne peux pas croire que tu lui aies dit que j'étais là !

— Elle ne pouvait pas nous voir, tu sais.

La jeune femme se dégagea. La rattrapant, il la renversa sur le dos.

— Tu ne peux pas continuer à te cacher, chérie.

— Je ne me cache pas !

— Ah bon ? Parle-moi de ta famille, alors.

— C'est déjà fait.

— Tu m'as donné des noms, mais c'est tout.

— « Ma famille et moi sommes deux entités différentes », riposta-t-elle, répétant mot pour mot ses propres paroles. Pour le moment, je ne veux que toi. Toi et moi.

— Ah oui ? fit-il en laissant sa main glisser sur sa hanche.

— Une fois, ce n'est pas assez avec toi, McKay. Tu es comme une drogue.

Et, ses yeux lançant des éclairs, elle le chevaucha, ficha ses doigts dans ses hanches et le caressa. Puis, le guidant dans son état souple, incroyablement chaud, elle s'empala sur son sexe de nouveau dur et gonflé jusqu'à ce qu'il l'emplisse totalement. Et lorsque, d'une ultime poussée de hanches, elle se plaqua contre lui, les contours de la réalité s'estompèrent pour lui. Rien ne comptait plus, et toute une vie ne suffirait pas à assouvir son besoin de cette femme.

Après s'être douchés et habillés, ils s'étaient précipités à la soirée sur la plage. Inutile d'attendre un second coup de fil de Laura !

— Ai-je l'air coupable ? demanda Lane.

Tyler la scruta du regard, puis, lui passant un bras autour des épaules, l'entraîna vers le feu allumé sur le sable.

— Non, pas du tout, répondit-il en lui déposant un baiser sur la tête. Et moi non plus. Je ne me sens pas le moins du monde coupable.

— Mais nous sommes en retard.

— J'avais besoin de soins médicaux, dit-il en brandissant son doigt bandé.

— Et moi de tes soins tout court.

Un sourire sexy aux lèvres, il lui décocha un regard complice. C'était tout simplement merveilleux. Penchant la tête, il lui chuchota à l'oreille :

— Nous avons encore ce soir, chérie.

Elle sentit son corps s'embraser de l'intérieur.

Toute une nuit dans ses bras, ce serait sa récompense si elle se tenait bien ce soir. Parce que plus tard, en privé, plus question de bien se tenir.

Les gagnants de la courses furent accueillis par la famille et les amis qui les acclamèrent bruyamment, et rapidement ils furent séparés par tous ceux qui voulaient un compte rendu de la régate.

Ils ne passèrent pas beaucoup de temps ensemble au cours des deux heures qui suivirent, mais à plusieurs reprises elle surprit le regard de Tyler sur elle.

Elle-même n'était pas en reste de coups d'œil furtifs vers lui, jusqu'à ce que Kate s'approche d'elle, un bébé sur la hanche, détournant son attention de l'homme qui lui avait fait l'amour tout l'après-midi.

Comme elle avait envie de prendre ce chérubin dans ses bras ! Lorsqu'elle lui caressa la joue, la petite fille aux grands yeux bleus lui sourit. Une vraie McKay ! songea-t-elle en lui tendant les bras dans lesquels elle sauta presque, nouant ses petites mains autour de son cou.

— Mon frère vous plaît, n'est-ce pas ? dit Kate.

« S'il me plaît ? » songea-t-elle en jetant un bref coup d'œil en direction de Tyler.

— Oui, répondit-elle sobrement.

« Je l'aime », conclut-elle *in petto*.

— Je suis bien contente. Il était temps pour lui d'avoir de nouveau une histoire sérieuse.

Lane fronça les sourcils, perplexe.

— Il ne vous a pas parlé de son mariage ? demanda Kate.

Elle sentit un frisson glacé lui parcourir le dos.

— Son presque mariage, pour être exacte. Une semaine avant la date fixée, il a appris que sa fiancée l'épousait pour son argent.

— C'est atroce !

— Est-ce que c'est son argent qui vous intéresse ?

— J'ai mon propre argent, Kate.

Grâce à son fonds de pension et à ses actions, elle était tranquille pour quelques années. Kate avait toutefois raison de vouloir protéger son frère. Elle l'admirait.

— En fait, sa fortune et sa puissance sont exactement les raisons pour lesquelles j'ai essayé de le décourager, précisa-t-elle.

— Alors ça ! C'est bien la première fois que j'entends une chose pareille, constata Kate incrédule, en battant des paupières.

— Croyez-moi, j'ai vu l'effet que l'argent peut produire sur les gens, les types répugnants qu'il peut faire surgir d'un peu partout.

— Disparais, Kate ! fit Tyler qui arrivait.

Sa sœur leva le menton, défiante.

— Je ne faisais que te protéger, mon vieux. Tu aurais dû lui en parler.

— Ce qui se passe entre Lane et moi ne regarde que nous.

Kate reprit sa petite fille des bras de Lane et dévisagea son frère un moment.

— Je t'aime, Tyler, finit-elle par lui dire, esquissant un sourire. Je suis désolée, mais maintenant que j'ai commencé…

Et sans finir sa phrase, elle s'éloigna.

Lane regarda alors Tyler.

— Ton ex-fiancée a dû te faire beaucoup souffrir.

— Oui.

— Je pense qu'elle est à plaindre, malgré tout.

— Pardon ?

— Avec toi, elle cherchait la position qu'une alliance avec un McKay pouvait lui apporter, pas toi en tant qu'homme. Elle pensait à elle et à son avenir avant tout, et du coup c'est elle qui a payé, continua-t-elle avec un haussement d'épaules, en enfonçant ses mains dans ses poches.

Les yeux de Tyler étincelaient de fureur.

— Je ne cherche pas à la défendre, crois-moi, s'empressa-t-elle d'ajouter. Mais si elle croyait que les choses matérielles pouvaient faire d'elle une femme heureuse et digne d'intérêt, son jugement était faussé dès le départ.

Son discours laissa Tyler songeur.

— Bon sang, tu as raison, Clarice a été sa propre ennemie ! Et ce type qui t'a trahie, manquait-il de jugement ? lui demanda-t-il d'une voix douce.

— Oh oui. Dès le départ, il ne pensait qu'à lui. Il disait m'aimer, vouloir les mêmes choses que moi, et il mentait : tout ce qui l'intéressait, c'était se servir de moi.

Tyler lut dans son regard que la blessure ne s'était pas refermée.

— Et dans quel but ?

— Pour faire du mal à ma famille.

Il leva un sourcil étonné, et elle enchaîna avant qu'il ne lui demande de s'expliquer :

— As-tu oublié cette femme ?

— Je ne t'aurais pas embrassée, si ce n'était pas le cas, répliqua-t-il en se rapprochant.

— Tu es un homme d'honneur.

— Et toi, tu es si méfiante. En as-tu conscience ?

— J'y travaille. Je m'impose deux sourires par jour.

— J'en ai vu quelques-uns tout à l'heure, répondit-il en l'attirant dans ses bras.

Il passa ses doigts dans ses cheveux, dérangeant le ruban qui les retenait. Elle s'empressa de se recoiffer, mais il lui attrapa la main et, l'approchant de ses lèvres, en baisa les jointures.

— Tu es tellement belle, Lane. Arrête de te cacher, fais-moi confiance.

Son regard sondait le sien. Il avait compris qu'elle cachait des secrets sur son passé et il méritait de connaître la vérité.

— Tyler, tu ne sais pas ce que tu me demandes.

— Ton passé est donc si dramatique que ça ?

— Non. Oui. C'est difficile à expliquer.

— N'as-tu pas enfin compris que je ne te ferai aucun mal ? Que je ne suis pas lui ?

Elle hocha la tête.

— Et je ne suis pas elle, répondit-elle, la gorge serrée.

— Oh, ça, je le sais !

— Alors souviens-t-en, plaida-t-elle en le serrant plus fort. Ne l'oublie surtout pas.

10.

Lane avait l'impression d'être Cendrillon partant au bal.

Son prince arriva, vêtu d'un smoking, et l'escorta jusqu'à son carrosse, l'élégante limousine noire garée devant chez elle.

Il faisait sombre, l'air était vif, la lune haute dans le ciel d'hiver. Les réverbères et les arbres étaient décorés de guirlandes de lumières qui scintillaient dans l'obscurité comme des étoiles tombées de la voûte céleste. Quelle nuit magnifique ! songea-t-elle. On n'aurait pu rêver mieux pour un bal.

Le chauffeur lui ouvrit la porte et elle s'engouffra à l'intérieur. Elle vit Tyler lancer un œil noir au jeune homme en montant à son tour.

— Difficile de ne pas regarder, monsieur. Je suis un homme, après tout, marmonna le chauffeur.

Tyler se glissa sans mot dire à côté d'elle sur la banquette, et la voiture prit la route du country club. Depuis quand était-il devenu si possessif ? Ce n'était pas si désagréable, après tout, songea-t-elle en prenant la main de son amant, dont les doigts s'enlacèrent immédiatement aux siens.

— Merci, Tyler, cela faisait un moment que je n'étais pas sortie.

Pour toute réponse, il lui sourit, balayant du regard avec curiosité sa cape vert foncé.

Elle cachait en dessous la toute dernière robe qu'elle avait créée. Elle s'était graduellement débarrassée de l'apparence vieillotte qu'elle entretenait pour tenir les gens à distance. Il avait constaté la métamorphose.

Depuis la régate, ils passaient presque toutes leurs nuits ensemble, et si le fait de se réveiller dans ses bras lui procurait un immense sentiment de satisfaction, elle n'en était pas moins terrifiée. Toutefois, elle avait beau vouloir se protéger, rien ne comptait plus que d'être avec lui. D'ailleurs, dès l'instant où elle l'avait vu, elle avait oublié toute prudence ! N'était-ce pas grâce à lui qu'elle avait retrouvé confiance en son prochain ?

La limousine s'arrêta. Tyler en descendit et se retourna pour lui offrir sa main. Alors qu'elle se glissait hors de la voiture, ses yeux s'attardèrent sur ses jambes gainées de soie. Il lui passa un bras autour de la taille, l'attirant contre lui, et ses mains gantées se posèrent sur ses épaules.

— Ne m'oublie pas, ce soir.

— Oh, Tyler, comment le pourrais-je ? dit-elle en lui caressant la joue d'un doigt.

— C'est ce que tu dis maintenant. Mais je te préviens, mes amis peuvent se montrer très persuasifs.

Elle se mit sur la pointe des pieds et l'embrassa.

— Toi aussi.

Un sourire aux lèvres, il l'escorta jusqu'à la salle de bal qui vibrait d'animation et de couleurs. Des tables élégamment décorées s'alignaient tout autour de la pièce. Çà et là, de petites touches de verdure rappelaient que Noël approchait, et des valets en livrée passaient les plateaux de canapés et de verres de champagne, témoignant de l'héritage historique de la ville. L'orchestre jouait une musique douce, et des couples évoluaient déjà sur la piste.

Comme c'était beau ! songea-t-elle avec un soupir d'excitation.

— Lane ? Donne-moi ta cape.

Elle le regarda, dénoua le cordon et repoussa le vêtement qui retomba dans un bruissement de velours, tout en secouant ses boucles auburn qui se déversèrent en cascade dans son dos.

— Ooh ! s'exclama-t-il devant la robe vert bouteille garnie de perles qui lui moulait le corps comme une seconde peau. Décidément, tu es exceptionnelle. Seigneur ! Comme je suis fier de toi !

Elle sentit ses joues se colorer. Cela lui arrivait souvent quand elle était avec lui.

— Je suis contente que ma robe te plaise.

— Et rien ne me ferait plus plaisir que de te la retirer, là, tout de suite.

— Est-ce que tu peux attendre quelques heures ? chuchota-t-elle en se penchant vers lui, sa main à plat sur son torse. Parce que je préférerais être seule avec toi plutôt qu'entourée de regards inconnus.

— Dans ce cas, tu ne devrais pas te permettre d'être aussi jolie.

— Bon sang, là, tu exagères un peu ! répondit-elle avec un petit rire.

— Regarde autour de toi, répondit-il avec un mouvement de la tête, d'un air mi-figue mi-raisin.

Bonté divine ! Tous les yeux étaient fixés sur sa personne.

Jamais elle n'aurait dû réapparaître en public d'un seul coup ! Elle aurait dû y aller graduellement, laisser les gens s'accoutumer à la mutation de la pâle libraire Lane Douglas en Elaina Honora Giovanni…

Plus tôt dans la soirée, alors qu'elle fouillait dans ses placards, une furieuse envie d'envoyer balader son rôle de composition l'avait emporté sur la nécessité de choisir une tenue discrète. Si cette soirée signifiait beaucoup pour elle, elle était encore plus importante pour Tyler : ces gens étaient ses amis, ses collègues, ses concitoyens, elle devait oser arriver dans sa plus belle robe ! Pourtant, maintenant que tous les regards étaient braqués sur elle, elle avait l'impression qu'elle venait d'ouvrir la boîte de Pandore et que tous ses efforts pour préserver son anonymat étaient réduits à néant.

— Oh non !

— Oh si ! Allez viens, regarde le pauvre Kyle là-bas, il n'a pas de cavalière.

A peine avaient-ils rejoint leur table qu'ils furent assaillis par une foule d'invités, aussi Tyler l'entraîna-t-il rapidement sur la piste de danse.

— Oh, Tyler, je suis désolée.

— Pourquoi ? Je suis ravi d'être avec la femme la plus jolie et la plus convoitée du bal, qu'est-ce que tu crois !

— A les voir, on dirait presque que j'ai subi une métamorphose, un peu comme le crapaud qui se transforme en princesse.

Décidément, elle détestait être le point de mire.

— Lane, ma chérie, ta robe est en soi une métamorphose.

D'accord, la robe était peut-être un peu exagérée, mais elle l'avait choisie parce que personne ne l'avait encore vue. Les articles de Dan Jacobs ayant déchaîné les blagues cruelles des paparazzi et mis un terme à sa carrière, ce modèle n'avait jamais été présenté dans un défilé. C'était néanmoins sa plus belle création : une soie verte presque transparente croulant sous les perles, ce qui donnait une certaine pesanteur au tissu aérien. Sous le décolleté légèrement plongeant, l'étoffe épousait étroitement son corps. Les manches de velours également garnies de perles s'évasaient aux poignets. Mais ce qui faisait toute l'originalité de cette robe, c'était son dos dénudé et sa traîne en éventail. Une femme fatale dans tout son mystère... en dépit de la coupe moulante qui ne dissimulait pas grand-chose.

Seigneur, qu'avait-elle fait ?

— Ignore-les, lui chuchota Tyler d'un ton réconfortant, en remarquant son malaise. Je dois dire, cependant, que je ne pensais pas rencontrer un jour une femme qui ne soit pas flattée par l'attention des hommes.

— Seule m'importe l'attention d'un homme, et en ce moment je l'ai. Disons que j'ai de la chance.

— Moi aussi, dit-il en l'entraînant.

Il bougeait avec une grâce et une élégance de prince, et elle oublia tout : les regards, les murmures de son passé, la surprise générale devant la nouvelle Lane Douglas. Un instinct de possession mêlé à un sentiment qu'elle n'arrivait pas à cerner s'empara d'elle. Elle aurait voulu que cette nuit ne finisse jamais, un peu comme un enfant qui aurait reçu l'autorisation de rester debout une veille de Noël.

Seigneur, combien elle aimait cet homme ! Elle ne devait pas oublier toutefois à quel point il serait facile de le perdre. Mais même si elle jouait gros, elle n'avait plus le droit de lui mentir : ce soir, elle allait prendre le plus gros risque de sa vie et lui dévoiler la vérité.

A mesure que la soirée s'avançait, cela lui faisait presque mal de le regarder. Tyler ne la quittait pratiquement pas et, lorsqu'elle dansait avec un autre, son regard la cherchait constamment. Elle aurait juré qu'il la revendiquait. Tant mieux, car elle aussi le revendiquait !

A 21 heures on fit entrer la presse. Lane fit de son mieux pour éviter les photos, avec l'aide de la précieuse Nalla qui, systématiquement, se plaçait devant elle : vêtue d'une des dernières créations de Lane et coiffée d'un bibi de velours et de soie bleu nuit incrusté de cristaux, son amie ressemblait ce soir à la reine des elfes.

Une dernière fois, Lane et Tyler dansèrent ensemble, mais ils n'avaient plus qu'une envie : se retrouver seuls.

Lorsqu'ils regagnèrent la limousine, Lane, se blottissant contre Tyler, posa sa tête sur son épaule. Il passa son bras autour d'elle et lui embrassa les cheveux.

— Merci, chuchota-t-il. Jusqu'à ce soir, je ne m'étais jamais autant amusé à une réception.

— Ça m'a plu. C'était un peu comme un avant-goût de Noël.

De sa main, elle lissa sa chemise. Il était superbe dans son smoking, comme s'il était né pour ça, et elle se sentit submergée du désir qu'elle étouffait depuis le début de la soirée.

Sa main posée sur sa cuisse remonta lentement pour aller se refermer sur son sexe qui se raidit sous l'étoffe noire. Il inclina la tête et l'embrassa, sa bouche chaude et humide contre la sienne. La caresse de Lane se fit plus audacieuse, plus exigeante, et les doigts de Tyler s'aventurèrent sous sa cape, descendant le long de son dos pour se glisser sous la soie sertie de perles.

— Tu étais nue sous cette robe ? demanda-t-il, incrédule.

— Un slip en aurait cassé la ligne, sourit-elle.

Il émit un grognement.

— Si j'avais su, je serais parti depuis des heures.

— Ça n'aurait pas été très poli.

— Peut-être, mais me promener dans cet état ne l'aurait pas été plus, dit-il en pressant sa main sur son érection.

Un petit rire vint s'étrangler dans la gorge de Lane, et lorsque la voiture s'arrêta devant chez lui, ils se ruèrent vers l'escalier qu'ils montèrent quatre à quatre. Tout en l'embrassant à perdre haleine, il cherchait ses clés, refusant de l'abandonner. Elle attrapa le trousseau, ouvrit la porte et se jeta dans ses bras. En une fraction de seconde il l'avait plaquée au mur, cape et veste gisant sur le sol.

Ils luttaient, enfiévrés par leur baiser. Lane entreprit de lui dénouer sa cravate, avant de défaire les boutons de sa chemise. Il enfouit sa tête entre ses seins.

— Je te veux.

— Prends-moi, répondit-elle en plongeant ses doigts dans ses cheveux, frémissante de désir.

— Je ne pense pas que je…

— Ne pense pas, Tyler.

Elle fit un pas en arrière, passa sa main derrière sa nuque et tira sur le cordon transparent de sa robe, qui vint s'étaler en corolle à ses pieds.

Seigneur ! Il n'avait jamais rien vu de plus sexy que cette femme, debout dans le hall, totalement nue à l'exception de ses bas et de ses escarpins.

Elle se pencha pour ramasser sa robe et, avec un port de reine, gravit les marches qui menaient au premier. Arrivée sur le palier, elle se retourna.

— Tu viens ? demanda-t-elle.

Il déglutit.

— Bon sang ! Je viens juste de découvrir la déesse cachée en toi.

Son rire s'éloigna tandis qu'elle disparaissait dans la chambre.

En un éclair, il fut en haut et la retrouva alanguie dans un fauteuil. Comblant l'espace entre eux en deux enjambées, il tomba à ses pieds et s'empara de ses seins dont il fit jaillir les pointes durcies de ses caresses. Happant avec avidité l'un après l'autre les tendres bourgeons entre ses lèvres, il les suçota, lui arrachant de petits gémissements de volupté. Il sentait des flammes courir dans ses veines et une lave ardente se propager dans son bas-ventre. Il n'avait jamais désiré aucune femme comme il la désirait.

Renversant la tête en arrière, elle s'offrit à lui et lui murmura à quel point il la comblait. Elle ondulait dans son fauteuil, ses mains parcourant son torse, ses épaules, avant de descendre vers la ceinture de son pantalon. D'un simple frôlement de ses doigts sur son membre raide de convoitise, elle l'électrisa. Mais il voulait la goûter, la savourer, la voir exploser du plaisir qu'il lui procurait.

Il la repoussa dans son fauteuil, couvrant son ventre de baisers et, lui écartant les cuisses, traça de sa langue un petit sillon humide jusqu'à son sexe encore clos. Se sentant animal, il la renifla, picora sa chair douce avant de poser l'une de ses jambes sur un bras du fauteuil.

Lui lançant un regard sensuel, elle souleva l'autre jambe, et ses tendres replis s'ouvrirent comme les pétales d'une rose.

Lorsqu'il frôla l'écrin soyeux, elle se cambra, le souffle court.

— Oh, Tyler ! gémit-elle alors qu'il insinuait deux doigts en elle.

Il les enfonça plus loin et la caressa.

— Je veux t'entendre crier, annonça-t-il.

— Je te veux en moi, maintenant !

Elle tendit les bras vers lui, le plaisir mettant ses nerfs au supplice, mais il secoua la tête, un sourire diabolique aux lèvres, une main glissée sous la cambrure de ses fesses.

Incapable de réagir, elle le laissa la soulever.

Soudain, sa bouche fut sur elle, et un cri vint s'étrangler dans sa gorge tandis qu'il explorait de sa langue les replis soyeux de sa féminité. Il la serra plus fort, et elle noua ses jambes sur ses épaules. Sous la pression implacable de sa langue habile, elle se cabra et sentit un tourbillon capiteux se propager à la vitesse de l'éclair, dévastant son bas-ventre.

Il lui écarta encore les cuisses tandis que, haletante, animale, elle se tordait avec des feulements de chatte. Dans un long cri de volupté elle appela son amant, le suppliant de la rejoindre, de partager son extase.

Dégrafant rapidement son pantalon, il s'enfonça en elle.

Son propre plaisir jaillit sans prévenir lorsqu'il sentit l'étau velouté de son sexe l'avaler, le presser. Il l'attira à terre, l'allongea sur le dos, se retira, puis replongea de plus belle dans l'étroit fourreau, allant et venant dans cette chair tendre et accueillante.

Il guettait l'orgasme dans les yeux de Lane. En la menant à la jouissance, c'était lui-même qu'il comblait. Leurs corps secoués de frissons s'enivraient de sensations exquises, ils vibraient à l'unisson. Leur besoin l'un de l'autre était primaire, sauvage. Jamais auparavant il n'avait connu une passion si brûlante.

Le regard enchaîné au sien, il vit la félicité illuminer le visage de la jeune femme, et son plaisir se déversa en elle par vagues. Elle l'entraînait avec elle aux confins du paradis.

— Oh ! mon amour ! gémit-elle, et il sentit son cœur voler en éclats.

Elle avait les yeux pleins de larmes, ses doigts lui caressaient le visage, s'enfonçaient dans ses cheveux. Elle s'empara de sa bouche en un baiser plein de fougue.

— Je t'aime, Tyler, avoua-t-elle entre deux sanglots, je ne voulais pas, mais je t'aime.

Son regard sonda les traits de son beau visage, et il lui lissa les cheveux en arrière.

— Lane chérie, je…

Que répondre ? Ses vieux fantômes, toujours vivaces, l'empêchaient de lui dire les mots qu'elle aurait voulu entendre. Il se contenta de lui sourire tristement.

Elle sécha ses larmes et répondit à son sourire : inutile de lui arracher un « moi aussi, je t'aime » qu'il ne pensait pas. Elle le serra fort contre elle, et il la serra plus fort encore.

Au bout de quelques minutes, il se leva et la porta jusqu'à son lit où il l'allongea, la fixant d'un regard empreint d'une étrange lassitude avant de la rejoindre.

Sans hésiter un instant, elle lui ouvrit les bras, et ils sombrèrent dans un monde de volupté et de passion, s'offrant mutuellement cette nuit et oubliant tout le reste.

Le lendemain matin en s'éveillant, Lane s'étira, étendit un bras vers Tyler et trouva sa place vide.

— Tyler ? appela-t-elle.

— Je suis là, répondit-il de la salle de bains.

Elle se pelotonna sur le côté, enfouit son nez dans son oreiller qu'elle serra contre elle et s'emplit de son parfum masculin. Avait-elle eu raison de lui dire qu'elle l'aimait ? s'interrogeait-elle le cœur serré. Et s'il ne partageait pas ses sentiments ? Le doute l'assaillait soudain.

Elle comptait beaucoup pour lui, elle le savait, mais il ne lui avait fait aucune promesse, aucune déclaration. Elle devait se contenter des moments qu'ils étaient en train de vivre… Et pourtant, son cœur brûlait de partager davantage avec lui : elle voulait un avenir avec lui, toute une vie.

L'heure était venue de lui parler, elle le savait. Elle n'avait que trop attendu.

Elle parcourut la chambre des yeux à la recherche de quelque chose pour se couvrir : pour cette conversation, il était indispensable qu'elle se protège derrière des vêtements, qu'elle empêche Tyler de la toucher. Lorsqu'il la touchait, elle était incapable de penser.

Elle aperçut un peignoir sur une chaise.

Elle se glissait hors du lit, le cœur battant la chamade, quand le téléphone se mit à sonner. Elle marqua un temps d'hésitation. Devait-elle répondre ?

— Laisse le répondeur prendre le message, cria Tyler de la salle de bains. Je m'en voudrais de ternir ta réputation.

Elle sourit et, tandis que le message se dévidait, enfila le peignoir trop grand.

— *Buon giorno*, Elaina, entendit-elle soudain.

Ses mains se crispèrent sur la ceinture qu'elle nouait. Dan Jacobs ! Comment l'avait-il trouvée ici ?

Elle attrapa le combiné.

— Vous vous êtes trompé de numéro, affirma-t-elle, haletante.

— Ça m'étonnerait ! Je reconnaîtrais cette voix n'importe où.

— Vous faites erreur.

— Ah oui ? Eh bien, j'ai des photos pour prouver que j'ai raison.

— Des photos ? Où ? Quand ?

— Je ne savais pas que tu dansais si bien, Elaina. Et la régate, c'était quelque chose ! Un record battu dans une petite ville, c'est toujours divertissant. On en a parlé à l'Agence Nationale de Presse. Si je les laisse faire, ce sera à la radio, à la télévision.

— Non ! Oh, mon Dieu ! Ne fais pas ça.

— Tu me dois un article, fit-il d'une voix sombre et mauvaise.

— Tu en as déjà assez écrit, il n'y a rien à ajouter. Et je ne te dois rien, riposta-t-elle, son cœur cognant si fort dans sa poitrine qu'elle crut qu'elle allait s'évanouir.

— Si tu refuses de me parler, dans une heure je diffuse les photos dans la presse. Tu es mignonne en bleu marine...

Seigneur ! La régate !

— Non, je t'en supplie, plaida-t-elle, au bord des larmes. Ne détruis pas ma vie une seconde fois.

Dan resta silencieux une seconde.

— Il ne sait pas qui tu es, c'est ça ?

D'un geste vif, elle reposa le combiné et effaça le message du journaliste.

Des larmes brûlantes lui affluaient aux paupières. Trop tard, c'était trop tard. Elle avait tout perdu. Elle était tombée amoureuse de Tyler et maintenant elle allait le payer cher.

Elle se fichait complètement de la presse. Ce qui la terrifiait, c'était les conséquences sur lui et sur sa famille. Les propos diffamatoires, les accusations. Il serait détruit, comme elle l'avait été. Non ! Dan Jacobs pouvait la poursuivre, mais il n'était pas question de le laisser s'attaquer à Tyler.

Seigneur, comme elle l'aimait ! Et voilà que leur amour allait voler en éclats avant même d'avoir eu une chance d'exister.

Elle jeta un coup d'œil en direction de la salle de bains et se mit en quête de ses vêtements.

Elle devait arrêter Dan Jacobs. Elle ne savait pas encore comment elle allait s'y prendre, mais elle devait l'empêcher de faire souffrir Tyler. Non et non ! Elle ne pouvait pas le laisser faire. Plus maintenant.

Au moment où elle attrapait sa robe, Tyler sortit de la salle de bains en nouant la ceinture d'un peignoir rouge cerise.

— Lane, où vas-tu ?

— Je dois partir.

— Attends une seconde, pria Tyler, les sourcils froncés.

— Non, je dois y aller tout de suite, répondit-elle sans pouvoir se résoudre à le regarder.

D'une enjambée, il la rejoignit et lui attrapa le bras.

— Mais tu pleures. Bon sang ! Dis-moi ce qui ne va pas.

— Je ne peux pas, je ne peux pas, répliqua-t-elle sans même essayer de retenir ses sanglots.

Elle était prise au piège, elle le savait. Tyler l'attira dans ses bras et elle chavira contre lui.

— Qui était au téléphone ? demanda-t-il.

« Dis-le-lui, lui souffla la voix de sa conscience. Dis-le-lui tout de suite. »

— Dan Jacobs, un journaliste.

— Et que t'a-t-il dit ?

— Exactement ce que je redoutais depuis deux ans.

— Dis-le-moi, chérie, dit Tyler, sourcils froncés.

Lane se dégagea de ses bras et resserra son peignoir autour d'elle. Elle avait l'impression que le sol était en train de se dérober sous ses pieds et qu'elle sombrait dans le néant. Allons ! Il était temps de tout avouer.

— Dan est l'homme qui m'a trahie. Il est journaliste, mais il me l'avait caché en se faisant passer pour un photographe. Il avait même un book.

Elle émit un petit son amer. Quelle idiote elle avait été ! Elle le sentait encore plus en admettant sa crédulité que le jour où elle avait découvert qui était vraiment Dan.

— Il est sorti avec moi, m'a séduite, a dit qu'il m'aimait… uniquement dans le but de décrocher un scoop.

— Un scoop sur quoi ? Sur le fait que tu vends des livres ?

Le défiant légèrement du menton, elle fixa l'homme qu'elle aimait et qu'elle était sur le point de perdre.

— Sur moi. Je ne m'appelle pas Lane Douglas.

Tyler se sentit devenir livide. Sa poitrine se contracta douloureusement.

— Douglas était le nom de ma grand-mère, et Lane est un diminutif pour… Elaina.

— Elaina quoi ? demanda-t-il en serrant les poings.

— Giovanni, avoua-t-elle dans un souffle.

Du regard, il balaya son corps enveloppé dans le peignoir, son visage, ses longs cheveux encore tout embroussaillés de leur nuit d'amour. Et, soudain, tout se mit en place et devint douloureusement clair : sa vie de recluse, la façon qu'elle avait d'éviter de parler d'elle-même. Son allure dans cette robe qui la faisait ressembler à une star. Le sentiment de déjà-vu qu'il avait ressenti à plusieurs reprises la veille au soir. Naturellement ! Puisqu'il l'avait vue dans les journaux, à la télévision.

— Giovanni, comme le plus grand vignoble du monde ? Ces Giovanni-là ?

— Oui.

Bonté divine ! Elle lui avait permis de l'aimer, et maintenant elle le trahissait.

— Tu m'as menti, constata-t-il d'une voix étranglée.

— Je me protégeais. Cette ordure a détruit ma vie. J'étais styliste…

— Je sais exactement qui tu étais, l'interrompit-il, avec une expression qu'elle n'aurait jamais voulu voir dans ses yeux. Je sais tout de ta famille, de ses liens avec la mafia.

— Pures calomnies ! Mais personne ne me croit.

Il prit un air dédaigneux. Il était trop malheureux pour prendre ses protestations en compte.

— Je me contrefiche de ce journaliste et de ta famille, Elaina. Tout ce que je vois, c'est que tu m'as menti. Malgré tout ce que nous avons partagé, tu m'as dupé. Tu n'as jamais envisagé une carrière d'actrice ? Parce que j'ai vraiment marché comme un idiot.

— Tyler, non !

— Quand je te faisais l'amour, reprit-il, ignorant son interruption, ça ne t'a même pas traversé l'esprit de me dire qui tu étais vraiment ?

Elle cilla. La douleur dans sa voix lui brisait le cœur.

165

— Je ne pouvais pas, c'était trop tard. J'avais laissé les choses aller trop loin.

— Et pourquoi ne pouvais-tu pas me faire confiance ?

— Je te dis la vérité maintenant, et regarde ta réaction.

Il la fixa d'un regard dégoûté, sentant toutes les rancœurs qu'il nourrissait à l'égard de Clarice remonter à la surface.

— Tu n'es plus la femme que j'ai connu.

— Si, fit-elle valoir, se raidissant. Même si j'avais changé mon apparence, je suis toujours restée la même. Je n'en ai parlé à personne parce que cela fait deux ans que j'essaye d'oublier. Tu ne sais pas ce que c'est de voir ton visage en photo dans le journal du matin, tes pensées les plus intimes étalées au grand jour. Dan Jacobs a carrément profité de mon amour pour écrire un article à la une. Je ne pouvais même pas aller au supermarché sans avoir un paparazzo sur les talons.

Une bouffée de compassion envahit Tyler, bien que son cœur semblât s'être replié sur lui-même. Et, alors qu'à cet instant précis il suffoquait presque de douleur, il comprit qu'il l'aimait. Qu'il l'aimait vraiment. Ce qui ne fit qu'accroître sa souffrance.

— Bon sang, Lane ! J'aurais pu t'aider, te protéger.

— Cela aurait ruiné ta réputation, peut-être même ta société. La presse parle toujours de nos liens avec la mafia et Dan, inlassablement, pourchasse ma famille. Je ne pouvais pas t'entraîner dans tout cela. Tu sais bien que j'ai tout fait pour garder mes distances avec toi, se défendit-elle. Je ne voulais pas que cela ait des répercussions sur ta vie.

— Je peux me défendre tout seul.

— Oh ! moi aussi, vois-tu, je pensais pouvoir me défendre toute seule. Et puis, en quinze jours à peine, mon nom est devenu la risée du milieu de la mode, j'ai perdu mes plus gros clients et ma société a fait faillite. Je me suis retrouvée prisonnière de la réputation de mon frère.

Elle attrapa ses vêtements. Tyler la regarda se rhabiller, répétant exactement les gestes de la veille au soir, à l'envers. Comment allait-elle pouvoir rentrer chez elle en robe du soir sans se faire remarquer ?

— Attends, je vais te ramener chez toi, proposa-t-il.

— Non, merci, répliqua-t-elle en nouant ses cheveux. Je me suis toujours débrouillée seule, je peux encore le faire. Au revoir, Tyler, conclut-elle, sa voix se brisant.

Sur ces mots, elle attrapa ses clés de voiture et se dirigea vers la porte.

Il resta figé sur place, incapable de faire un mouvement.

« Arrête-la ! » lui criait une voix intérieure. Mais elle lui avait menti sur tout, et quelque chose de profondément blessé en lui le poussait à croire qu'elle mentait aussi quand elle disait l'aimer.

11.

Tyler ne fut pas long à comprendre ce que Lane — ou plus exactement Elaina — avait vécu avant de venir s'installer à Bradford.

Une bande de journalistes avait élu domicile sur le trottoir en face de chez lui. Fichtre ! Un crétin avait même essayé de grimper sur le chêne de son jardin pour prendre une photo de sa chambre et s'était retrouvé, les quatre fers en l'air, dans un bosquet d'azalées. Pendant deux jours, il avait réussi à les ignorer, mais cela devenait impossible. On aurait dit des chiens après un os.

— Connaissiez-vous son identité, monsieur McKay ? lui cria un journaliste alors qu'il partait au bureau.

— Etiez-vous au courant des liens de la famille Giovanni avec la mafia ? demanda un autre.

— Est-ce que vous la cachiez, monsieur McKay ?

— Pouvez-vous nous dire quel était votre degré d'intimité avec Mlle Giovanni ?

Ah non ! Là, ils allaient trop loin !

Furieux, il se retourna sur le groupe qui l'avait suivi jusqu'à la porte de son bureau, et certains reporters reculèrent de quelques pas. Comme il aurait aimé leur coller son poing dans la figure ! Le soulagement que cela lui aurait procuré valait bien de risquer la prison ! Il était prêt à n'importe quoi pour oublier ce vide autour de lui. Il se sentait tellement malheureux !

— Sortez de chez moi avant que je ne vous fasse tous arrêter pour violation de propriété privée.

— Nous sommes dans un pays libre, McKay.

— C'est exact, mais je suis le propriétaire de ce terrain.

Il se tourna vers la porte et entra dans ses bureaux, suivi par la nuée des journalistes. Il verrouilla la porte et, s'adressant à la réceptionniste :

— Appelez DJ, lui demanda-t-il en citant le shérif, et dites-lui ce qui se passe. Je ne veux pas de ces types chez moi.

— Oui, monsieur, répondit-elle en attrapant son téléphone. Etant donné les proportions que cela prend ici, reprit-elle avec un geste de la main, j'imagine aisément ce que Mlle Douglas, je veux dire Giovanni, doit endurer.

Tyler se figea.

Il le savait parfaitement. Sa mère s'était fait un plaisir de retourner le couteau dans la plaie en l'informant que Lane, assiégée par la presse, ne pouvait plus quitter sa maison. Impossible pour ses clients d'entrer dans la librairie ni pour elle de sortir de chez elle. Le pire, c'est que cela semblait la laisser parfaitement indifférente.

Il entra dans son bureau à grandes enjambées et claqua la porte derrière lui.

Comme il aurait aimé jeter son porte-documents contre la baie vitrée et la regarder voler en éclats ! A la pensée de ne jamais revoir Lane ni la toucher, il se sentait devenir fou. Que pensait-elle ? Que ressentait-elle ? Il en perdait la tête. Il voulait être près d'elle, il voulait qu'elle lui demande son aide. Mais pourquoi le ferait-elle ? Elle avait essayé, et il lui avait tourné le dos. Il était inutile de se demander si elle regrettait de lui avoir dit qu'elle l'aimait. A l'expression de son visage

169

quand elle était partie de chez lui, il avait la réponse. Il lui avait brisé le cœur, et il en était malade.

Il fixa son téléphone, attrapa le combiné et composa son numéro. Il n'obtint que son répondeur. Sans doute était-elle assise, les yeux rivés à son propre téléphone. Seule. Il raccrocha sans laisser de message, s'avachit dans le fauteuil de cuir et le fit pivoter en direction de la fenêtre.

L'air profondément accablé de Lane lorsqu'elle était partie l'autre jour hantait ses pensées. Comme si elle s'était attendue à sa réaction de colère. Elle ne s'était d'ailleurs pas trompée. Bon sang, comme il avait mal. Comment pouvait-on souffrir autant ? songea-t-il en enfouissant le visage dans ses mains.

Ce n'était pas à une timide libraire, mais à une riche héritière qu'il avait affaire, sapristi ! Une styliste célèbre. Pas étonnant qu'elle ait aussi vite confectionné les costumes pour la pièce des enfants. Et sa robe ! Malgré son chagrin, il sentait encore ses muscles se raidir au souvenir des regards admiratifs des hommes présents au bal, au souvenir de sa fierté à la pensée qu'elle était sienne. Et maintenant, il l'avait perdue. Il lui avait tourné le dos, et il l'avait perdue.

A voir comment la presse le pourchassait, il n'avait pas de mal à imaginer l'enfer qu'elle devait vivre.

Qu'est-ce qui était pire ? Un homme qui écoutait son amour au prix de sa réputation, ou un homme qui laissait la femme qu'il aimait face aux loups ?

Une fraction de seconde plus tard, il était debout et se dirigeait vers la porte.

Lane se remettait à peine d'une nouvelle crise de larmes : cela faisait deux jours que Tyler ne lui avait pas parlé. Lorsque la sonnerie du téléphone retentit, elle attendit de savoir qui laisserait un message sur le répondeur. Encore un journaliste, certainement. Mais lorsqu'elle entendit la voix de son frère, elle attrapa vivement le combiné.

— Angel, je pourrais te tuer. Tu as détruit ma vie !

— Je suis désolé, mon chou. Je n'ai jamais voulu que tout cela arrive.

— Arrête ton baratin. Comment as-tu eu mon numéro ? dit-elle après avoir dégluti, refoulant ses larmes.

Comme elle aurait aimé pouvoir s'appuyer sur l'épaule de Tyler à cet instant !

— C'est papa qui me l'a donné. J'ai dû le supplier. Je dois absolument te parler, Elaina. Peut-on se voir ?

— Comme si je pouvais sortir de chez moi sans me faire agresser par cette horde !

— Essaye. Il est urgent que nous ayons une conversation, insista-t-il d'une voix troublée.

— Où ? demanda-t-elle.

— Il y a un petit restaurant au coin de la rue Hardeeville.

— Je connais. N'oublie pas que j'habite ici.

— Disons dans une heure.

Quelques minutes après, bravant la foule des journalistes, elle se dirigeait vers sa voiture, et une demi-heure plus tard elle entrait dans le restaurant. Elle aperçut son frère installé dans un box au fond de la salle, qui se levait pour l'accueillir.

Vêtu d'un jean et d'un blouson d'aviateur en cuir identique à celui de Tyler, il n'avait pas son apparence habituelle de citadin. Lui qui pourtant était toujours tiré à quatre épingles, il n'était pas rasé et avait les cheveux pratiquement aux épaules, mais il était toujours aussi beau.

Allait-elle l'embrasser ou le frapper ? se dit-elle en arrivant devant lui.

— Bonjour, mon chou, dit-il en la serrant contre lui.

Un long moment, Lane se blottit dans ses bras, puis ils se séparèrent et se glissèrent dans le box.

— Je t'écoute, parle, lui dit-elle en italien.

Après avoir jeté un coup d'œil à la ronde, il se pencha vers elle.

— Je travaille avec les autorités depuis trois ans maintenant, répondit-il également en italien.

— Les autorités ? Tu veux dire le FBI ?

— Oui, en quelque sorte.

Il lui expliqua que le FBI avait sollicité son aide afin de mettre à profit son statut de personnalité en vue pour lier connaissance avec des mafieux présumés et découvrir tout ce qu'il pourrait.

— Oh ! mon Dieu ! s'exclama-t-elle en se laissant aller en arrière sur la banquette de cuir craquelé.

Infiltrer la mafia ! Pas étonnant qu'il ne lui ait rien dit et qu'il ait tout gardé pour lui. Mais si une partie d'elle-même était très fière du courage que cela impliquait, l'autre était toujours aussi furieuse d'avoir à en payer le prix.

— Bon sang, Angel ! Ta petite virée dans l'espionnage m'a ruinée. Etant donné que tu n'as jamais rien dit pour éclaircir le malentendu, j'ai tout perdu, à commencer par l'homme que j'aime.

— Dan Jacobs est un parasite, répliqua-t-il d'un air renfrogné.

— Je ne parle pas de lui, imbécile ! Et même si tu as fait cela avec les meilleures intentions du monde, tu aurais dû prévenir ta famille. Jacobs s'est peut-être servi de moi pour écrire un article, mais toi, tu t'es servi de nous tous. C'était à la fois injuste et cruel, Angel. Cela m'a obligée à mentir à tout le monde, et à cause de ça j'ai perdu l'homme que j'aime.

— Tu es amoureuse ? C'est super ! Comment s'appelle-t-il ?

Son frère était décidément incurable !

— Cela n'a plus d'importance, dit-elle.

Elle se sentait bien trop à fleur de peau pour parler de Tyler.

— Je suppose que ça veut dire que tu n'as pas l'intention de me pardonner ? Grâce à nous, des malfaiteurs sont sous les verrous, tu sais. Et je suis en formation au FBI.

— Est-ce qu'ils ont toute leur tête, au FBI ? demanda-t-elle en clignant des yeux.

— Bizarrement, il semblerait que je sois plutôt doué pour ce travail. Nous sommes nés riches, Elaina, enchaîna-t-il avec un soupir en jouant machinalement avec une serviette en papier, et contrairement à toi, Sophia ou Ricco, je n'ai jamais travaillé dur sur un projet qui me tienne à cœur. Je ne vais pas m'étendre sur ce qui m'a fait prendre conscience de mes défauts, mais je n'aimais pas mon reflet dans le miroir et je ne méritais pas tout cet argent.

Lane hocha la tête. Quelle qu'en soit la raison, son frère avait changé radicalement.

— Et tu le mérites, maintenant ?

Le regard d'Angelo changea imperceptiblement, lui révélant soudain un côté inquiétant que jamais elle n'aurait soupçonné.

— Je doute de le mériter jamais. Mais, au moins, il est utilisé à bon escient. Et cela a donné un sens à ma vie.

— Je suis contente que tu te sois trouvé une vraie cause à défendre. Il n'empêche que cela a détruit notre réputation, sans compter ma carrière.

Devant son amertume, il répliqua d'un air renfrogné :

— Tu sais parfaitement que tu pourrais tout récupérer. C'est toi qui as choisi de fermer boutique.

Elle le foudroya du regard.

— D'accord, d'accord, admit-il, les mains levées en signe de reddition. J'ai honte et je ne cherche pas à me défiler, mais me pardonneras-tu un jour ?

— Je vais faire un effort.

Cela semblait compter pour lui, en tout cas assez pour qu'il prenne le risque de venir la voir. Elle esquissa un petit sourire.

— Je suis fière de toi, Angel.

Avec un soupir de soulagement, il se laissa aller sur la banquette de cuir.

— Merci, sœurette. Alors maintenant, dis-moi : qui est cet homme que tu aimes ?

Lane se referma aussitôt et se leva pour partir. Il bondit après elle et lui saisit la main.

— Je suis désolé, Elaina. Si je pouvais tout arranger, je n'hésiterais pas.

— Tu ne le peux pas, Angel. Le seul qui pourrait tout arranger ne veut plus de moi, asséna-t-elle après s'être éclairci la gorge.

Tyler se fraya un chemin à travers le groupe des journalistes pour arriver jusqu'à la librairie. Ils le bloquèrent, lui criant les mêmes questions que celles qu'ils lui avaient posées précédemment. Il les ignora quand, soudain, l'un d'entre eux lui demanda :

— Dites-nous, monsieur McKay, Elaina Giovanni est-elle une tigresse au lit ?

Il se figea et, lentement, se retourna : un homme blond, plutôt jeune, un sourire narquois aux lèvres, lui collait son micro sous le nez. Les yeux de Tyler se posèrent sur le nom qui s'affichait sur sa plaque.

Son sang ne fit qu'un tour : n'écoutant que son instinct, il mit son poing dans la figure de Dan Jacobs qui, les yeux révulsés, s'écroula à terre.

Les flashes se mirent à crépiter, mais c'était bien le cadet de ses soucis.

— Ça, c'est pour Elaina ! rugit-il en désignant Jacobs d'un doigt vengeur. Pourquoi ne demandez-vous pas à Dan Jacobs ici présent la façon dont il a menti, trompé et trahi Elaina Giovanni pour publier son tissu de calomnies ?

Les journalistes se ruèrent sur Jacobs qui n'avait pas encore réussi à se remettre sur pied.

Tyler se dirigea alors vers la porte d'entrée sur laquelle il se mit à tambouriner sans succès. Il se planta sur la pelouse. Tant pis s'il avait l'air complètement idiot.

— Elaina ! hurla-t-il.

La fenêtre du premier s'ouvrit pour laisser apparaître sa tête.

— Va-t'en, Tyler. Je t'en prie, implora-t-elle.

Elle avait pleuré. Comme il avait mal pour elle.

— Je ne bougerai pas d'un pouce. Ou tu me laisses entrer, ou je dis ce que j'ai à dire devant tout le monde.

Le regard de Lane se posa sur les journalistes et sur Dan Jacobs qui se frottait la joue.

— D'accord, entre, accepta-t-elle.

Tyler lança un regard noir au reporter véreux et, après avoir gravi le perron, attendit devant la porte, se retournant un instant pour foudroyer du regard ceux qui l'avaient suivi en haut des marches. Lane lui ouvrit enfin et, une fois la porte refermée à clé, se dirigea au premier étage sans un regard pour lui.

— Bienvenue dans le monde d'Elaina ! fit-elle, amère.

Tout en enfilant l'escalier en colimaçon, il attrapa son téléphone portable dans sa poche et composa le numéro du shérif.

— DJ, pourrais-tu faire en sorte de débarrasser Lane de la bande d'imbéciles qui campe devant chez elle ? Ses clients n'ont plus accès à la librairie et elle est coincée chez elle.

Une fois sur le palier, il se percha sur la banquette sous la fenêtre, écoutant la réponse de DJ.

— C'est intolérable de laisser l'une de nos concitoyennes subir un tel affront. Et je me fiche que tu les chasses de l'autre côté de la rue ou que tu les jettes dans le fleuve. Fais-les disparaître, c'est tout ce que je te demande !

Sur ces mots, il éteignit son portable et le rangea dans sa poche.

— Merci, dit Lane après un silence. La police ne m'ayant jamais aidée par le passé, je n'ai même pas eu l'idée de le lui demander.

Il écarta légèrement le rideau de la fenêtre pour regarder la horde des reporters sur la pelouse. Ils attendaient en buvant du café. Certains d'entre eux accostaient les passants, qui les ignoraient et passaient leur chemin.

— C'est de la folie ! gronda-t-il.

— Oui ! Enfin, au moins ils n'ont pas publié nos photos…

Sa voix se brisa, et Tyler se figea, comme paralysé.

— Je me fiche bien de tous ces gens et de ce qu'ils pensent, riposta-t-il.

— Cela n'a plus vraiment d'importance, n'est-ce pas ? Je ne voulais pas que tout cela se répercute sur toi, et pourtant je n'ai pas pu l'empêcher. Mais je n'avais pas le choix, c'était ce que je devais faire si je voulais survivre. Et, si ce n'est la façon dont nous avons rompu, je n'ai aucun regret.

Un sentiment de panique l'envahit.

176

— Mais ce n'est pas fini entre nous, chérie !

Elle détourna le regard.

— Cela ne s'arrêtera jamais. Mon frère ne peut pas révéler ses vraies activités pour la bonne raison qu'il travaille pour le FBI. C'est sans espoir. Je dois partir, conclut-elle avec un geste en direction de la fenêtre.

— Non, tout recommence, Elaina.

Lorsqu'elle l'entendit l'appeler par son prénom, elle sentit une flèche de douleur la transpercer. Cela faisait si longtemps qu'elle attendait ce moment. Pourquoi cela lui faisait-il autant plaisir ? Ne savait-elle pas, pourtant, qu'il ne l'aimait pas ?

Elle secoua la tête.

— C'était une question de survie. J'ai menti pour survivre. Je ne pouvais pas t'avouer la vérité, et lorsque je l'ai fait, tu m'as rejetée.

— Je sais, je sais, pardonne-moi, chérie. Je n'arrivais pas à croire que tu m'aies dupé sur ton identité, que tu ne m'aies pas fait confiance.

— Oh, Tyler, au contraire ! Je ne voulais pas prendre le risque de détruire ce que nous avions.

— Ce que nous avons toujours, dit-il d'une voix pleine de conviction en s'asseyant à côté d'elle.

Elle s'éloigna légèrement, mais il lui attrapa les mains et les serra fort.

— Regarde-moi, chérie.

Elle leva les yeux vers lui et il plongea son regard dans le sien.

— Que fais-tu là, Tyler ? Que me veux-tu encore ? demanda-t-elle avec accablement.

— Je veux que tu me pardonnes.

Elle leva les sourcils, étonnée.

— Jusqu'à ce que je voie ces vautours débouler, je n'avais pas compris ce à quoi tu avais échappé. Mais bon Dieu,

Elaina, tu as renoncé à tout, simplement pour un peu de tranquillité ?

Les épaules de la jeune femme s'affaissèrent.

— Etre une personnalité connue et endurer que tout le monde sache ce que vous portez la nuit au lit, ce sont deux choses bien différentes. Mais je ne peux pas changer qui je suis, de toute façon. J'ai essayé, et j'ai échoué.

— Je ne veux pas que tu changes. Cela fait deux jours et deux nuits que je frémis à l'idée de ne plus être avec toi.

— Pourquoi ?

— Parce que je sais que tu m'aimes pour ce que je suis en tant qu'homme, pas pour le nom des McKay et tous ses pièges. Ce que je possède n'a jamais compté pour toi, ce qui t'importe, c'est ce que je suis. Et pour moi, que tu sois Lane ou Elaina, tu es toujours la même personne.

— Mais tu m'as laissée partir l'autre matin, Tyler.

— Je sais, chérie, et j'ai honte. J'aurais dû me battre à tes côtés. Je regrette vraiment.

Le visage baissé, elle ne répondait rien.

— Suis-je pardonné ? demanda-t-il en essayant de capter son regard.

Elle le regarda de nouveau.

— Oui.

— Je ne peux pas t'offrir une vie sans célébrité, Elaina. Ma société, ma famille, nous attirons l'attention, c'est comme ça.

Son cœur fit un petit bond dans sa poitrine.

— La tranquillité a ses inconvénients, acquiesça-t-elle. Je ne voulais pas admettre à quel point j'étais seule, jusqu'au jour où je vous ai rencontrés, toi et ta famille.

— Moi aussi, répondit-il en fronçant les sourcils. J'avais une famille, des amis, mais j'étais aussi seul que toi.

— Que veux-tu dire ?

— Jusqu'à ce que je tombe amoureux de toi.

Elle se leva d'un bond et s'éloigna de lui, se tordant les mains.

— Tyler, je t'en prie, ne dis pas ça. Je ne supporterais pas que tu ne le penses pas vraiment !

Il s'avança vers elle, la tourna vers lui et lui souleva le menton.

— Ecoute-moi bien, Elaina Honora Giovanni. Quand je te regarde, je sais que c'est la première fois de ma vie que je suis amoureux.

Elle ouvrit la bouche, s'apprêtant à lui rappeler son passé, mais il l'interrompit :

— Oui, la première ! Parce que sans toi, je meurs. Si tu ne m'aimes pas, je n'y survivrai pas. Je suis désolé d'avoir dû te briser le cœur pour m'en rendre compte, conclut-il devant ses yeux qui s'embuaient.

— Tyler ?

— Je t'aime, Elaina. Je t'aime tant que, quand je ne suis pas avec toi, j'ai le sentiment de mourir.

— Oh, Tyler ! Moi aussi, je t'aime ! fit-elle du fond du cœur.

Il l'attira à lui et enfouit sa tête dans la courbe de son cou, se grisant du parfum de sa peau qui lui avait tant manqué. Relevant la tête, il lui effleura les lèvres de sa bouche, et l'air entre eux sembla soudain crépiter d'étincelles.

— Je n'ai jamais pu te résister, jamais ! sourit-il en prenant son visage en coupe dans ses larges paumes et en l'embrassant à perdre haleine.

Un long moment, ils se contentèrent de se regarder et Tyler vit leur futur défiler dans ses yeux : avec elle, le voyage de la vie serait délirant, passionné, plein de gaieté.

— J'étais trop malheureux sans toi, dit-il. Ces deux derniers jours, j'ai vécu un véritable enfer, je ne veux plus jamais que cela se reproduise.

— Moi non plus.

— Alors, veux-tu m'épouser ?

Elle cligna des yeux, sidérée.

Il prit sa main dans l'une des siennes et enfonça l'autre dans sa poche de poitrine.

— Epouse-moi, Elaina, viens vivre dans ma maison et fais-en un foyer. Donne-moi des bébés. Laisse-moi passer le reste de mes jours à te prouver mon amour, conclut-il, sa voix se brisant d'émotion.

— Tyler ! s'exclama-t-elle en regardant la bague qu'il tenait à l'extrémité de son annulaire.

Il attendait.

Après avoir fixé la bague un moment, elle leva enfin les yeux vers lui.

— Oui ! Oh oui !

Il passa l'anneau à son doigt, puis, l'enlaçant, il l'embrassa avidement, couvrant son visage d'une pluie de baisers, avant de la soulever dans ses bras en riant pour la faire virevolter.

Lane, toute légère, sentit le poids qui l'oppressait depuis si longtemps s'envoler. C'était l'amour !

Un long moment ils ignorèrent les cris qui leur parvenaient de l'extérieur. Elle aurait voulu continuer leur réconciliation au lit, mais Tyler avait d'autres projets.

La relâchant, il se dirigea vers la porte.

— Tyler, non ! Leur parler ne fera qu'empirer les choses.

— Pas cette fois. Viens avec moi.

Lorsqu'elle le rejoignit en bas, il ouvrit la porte de la librairie.

Les journalistes se ruèrent vers eux, retenus par des policiers de l'autre côté de la rue. La mère de Tyler, sa sœur, son frère et son beau-frère sortirent de la foule et se rapprochèrent d'eux.

Tyler attira Lane contre lui et resta immobile dans le crépitement des flashes, la maintenant fermement par les épaules. Elle était au bord des larmes. Lorsque le silence fut revenu, il hocha la tête.

— Je vois, messieurs, s'exclama-t-il avec son plus pur accent du Vieux Sud en foudroyant les journalistes du regard, que vous ignorez tout des bonnes manières : on ne s'invite pas ainsi chez les gens. Cependant, puisque vous êtes là, j'ai quelque chose à vous dire : je suis Tyler McKay et je suis amoureux d'Elaina Giovanni.

Lane le dévisagea d'un air radieux. Elle entendit Laura McKay pousser un petit cri de joie.

Ignorant les questions qui jaillissaient sur sa fausse identité, Tyler reprit :

— Je lui ai demandé de m'épouser, et… elle a accepté, conclut-il en baissant les yeux vers elle.

— Mademoiselle Giovanni ? Est-ce la vérité ?

— Oui, c'est l'exacte vérité. Je l'aime.

— Elaina est une McKay maintenant, intervint Kyle, alors ne vous avisez pas d'y toucher,

— Car dans ce cas, c'est à tous les McKay que vous aurez affaire, renchérit Laura.

Lane se mit à rire en serrant Tyler contre elle. Entourée de Laura, Kyle, Kate et Tyler, jamais de sa vie elle ne s'était sentie autant aimée et protégée.

Les questions se remirent à fuser. Tyler, les ignorant superbement, lui caressa légèrement les cheveux et, lui relevant le menton, lui frôla les lèvres de sa bouche.

Naturellement, ce baiser allait être en première page de tous les tabloïdes demain matin, mais maintenant cela lui était totalement égal.

Son monde était si sombre, si lugubre avant qu'il n'y entre. Grâce à son sourire et son charme, il l'avait fait renaître, lui avait prouvé que se cacher n'était pas la solution, qu'au contraire il fallait affronter les problèmes la tête haute.

— Je t'aime, murmura-t-elle.

Il lui adressa un sourire plein d'humilité.

— Je ne me lasserai jamais d'entendre ces mots dans ta bouche, mon amour.

Épilogue

Deux ans plus tard, la veille de Noël.

Dieu merci, depuis que le FBI avait lavé les Giovanni de tout soupçon, la presse avait disparu de leur vie, qui s'écoulait désormais étonnamment normale et heureuse.

La maison sentait la cannelle et résonnait de musique et du joyeux tumulte des familles McKay et Giovanni réunies lorsque tous deux s'éclipsèrent pour se rendre à la maternité.

Six heures plus tard, une vague d'amour inconditionnel submergeait Tyler : Elaina Honora Giovanni McKay lui présentait leur bébé, une belle petite fille aux cheveux roux prénommée Honora.

Son cœur était tout à ces deux femmes, les deux êtres qu'il aimait le plus au monde !

— Difficile pour un homme de résister à une rousse, le taquina Lane.

— Joyeux Noël, chérie ! répondit-il.

— Je suis sûre que tu es le premier homme de cette ville qui reçoit un bébé pour Noël, murmura-t-elle d'une voix fatiguée. Note bien, il faut toujours que tu te fasses remarquer.

— Je fais de mon mieux, dit-il en glissant un bracelet de diamants autour de son poignet.

Devant la beauté du bijou, elle resta bouche bée.

— Tu vois ce que je disais ? Tu es tellement crâneur !

Mais elle ne l'aurait changé pour rien au monde. Une larme roula sur ses joues.

Le regard brillant d'émotion, il lui sourit tendrement.

— Merci, Elaina. Tu as fait de moi un homme très heureux.

— Oh, chéri ! Grâce à toi, mes rêves sont devenus réalité.

— C'est étonnant comme nos rêves se ressemblaient, constata-t-il en lui embrassant la main et en lui souriant de son irrésistible sourire McKay.

Le nouveau visage de la collection Or

◆

AMOURS D'AUJOURD'HUI

Afin de mieux exprimer sa modernité et de vous séduire encore davantage, votre collection Or a changé de couverture et de nom depuis le 1er mars 1995.

Rassurez-vous, les romans, eux, ne changent pas, et vous pourrez retrouver dans la collection **Amours d'Aujourd'hui** tous vos auteurs préférés.

Comme chaque mois, en effet, vous y attendent des héros d'aujourd'hui, aux prises avec des passions fortes et des situations difficiles...

**COLLECTION
AMOURS D'AUJOURD'HUI :**
Quand l'amour guérit des blessures de la vie...

Chère lectrice,

Vous nous êtes fidèle depuis longtemps?
Vous venez de faire notre connaissance?

C'est pour votre plaisir que nous avons
imaginé un rendez-vous chaque mois
avec vos auteurs préférés, vos
AUTEURS VEDETTE dans les
collections Azur et Horizon.

Les **AUTEURS VEDETTE** vous
donneront rendez-vous pour de
nouveaux livres vedette.

Pour les reconnaître, cherchez
l'étoile ... Elle vous guidera!

Éditions Harlequin

AUT-R-R

HARLEQUIN

LE FORUM DES LECTEURS ET LECTRICES

CHERS(ES) LECTEURS ET LECTRICES,

VOUS NOUS ETES FIDÈLES DEPUIS LONGTEMPS?

VOUS VENEZ DE FAIRE NOTRE CONNAISSANCE?

SI VOUS AVEZ DES COMMENTAIRES, DES CRITIQUES À FORMULER, DES SUGGESTIONS À OFFRIR, N'HÉSITEZ PAS… ÉCRIVEZ-NOUS À:

> LES ENTERPRISES HARLEQUIN LTÉE.
> 498 RUE ODILE
> FABREVILLE, LAVAL, QUÉBEC.
> H7R 5X1

C'EST AVEC VOS PRÉCIEUX COMMENTAIRES QUE NOUS ALLONS POUVOIR MIEUX VOUS SERVIR.

DE PLUS, SI VOUS DÉSIREZ RECEVOIR UNE OU PLUSIEURS DE VOS SÉRIES HARLEQUIN PRÉFÉRÉE(S) À VOTRE DOMICILE, NE TARDEZ PAS À CONTACTER LE SERVICE D'ABONNEMENT; EN APPELANT AU (514) 875-4444 (RÉGION DE MONTRÉAL) OU 1-800-667-4444 (EXTÉRIEUR DE MONTRÉAL) OU TÉLÉCOPIEUR (514) 523-4444 OU COURRIER ELECTRONIQUE: AQCOURRIER@ABONNEMENT.QC.CA OU EN ÉCRIVANT À:

> ABONNEMENT QUÉBEC
> 525 RUE LOUIS-PASTEUR
> BOUCHERVILLE, QUÉBEC
> J4B 8E7

MERCI, À L'AVANCE, DE VOTRE COOPÉRATION.

BONNE LECTURE.

HARLEQUIN.

VOTRE PASSEPORT POUR LE MONDE DE L'AMOUR.

<u>COLLECTION HORIZON</u>

Des histoires d'amour romantiques qui vous mènent au bout du monde!

Découvrez la passion et les vives émotions qu'apportent à la Collection Horizon des auteurs de renommée internationale!

Captivantes, voire irrésistibles, ces histoires d'amour vous iront assurément droit au coeur.

Surveillez nos trois nouveaux titres chaque mois!

GEN-H-R

La COLLECTION AZUR

Offre une lecture rapide et

- ☑ *stimulante*
- ☑ *poignante*
- ☑ *exotique*
- ☑ *contemporaine*
- ☑ *romantique*
- ☑ *passionnée*
- ☑ *sensationnelle!*

COLLECTION AZUR...des histoires d'amour traditionnelles qui vous mènent au bout monde! Cinq nouveaux titres chaque mois.

GEN-RP-R

L'ASTROLOGIE EN DIRECT
TOUT AU LONG
DE L'ANNÉE.

(France métropolitaine uniquement)
Par téléphone 08.92.68.41.01
0,34 € la minute (Serveur JET MULTIMÉDIA).

Composé et édité par les
*éditions*Harlequin
Achevé d'imprimer en octobre 2005

BUSSIÈRE
GROUPE CPI

à Saint-Amand-Montrond (Cher)
Dépôt légal : novembre 2005
N° d'imprimeur : 52333 — N° d'éditeur : 11655

Imprimé en France